齋藤 孝著

読書力

岩波新書

801

まえがき

日本ではいつのまにか、本は、「当然読むべき」ものから「別に読まなくてもいい」ものへと変化してしまった。

これも時代の変化だ、とおだやかに受け入れてしまう人もいるかもしれないが、私はまったく反対だ。読書はしてもしなくてもいいものではなく、ぜひとも習慣化すべき「技」だと頑固に考えている。

私自身が、自己形成において多大な恩恵を読書から得てきたということももちろんあるが、それだけでなく、「読書力」は日本の地力だからだ。私は、この国は読書立国だと勝手に考えている。国家にこだわっているわけではない。自分の生きている社会の存立基盤を考えると、読書を核とした向学心や好奇心が実に重要なものだと思えてくるのである。読書力がありさえすればなんとかなる。数多くの学生たちを見てきて、しばしば切実にそう思う。

現在七十代以上には読書好きで、老眼で小さい活字の本が読みにくいことを悲しんでいる方が相当な割合でいる。一方で、十代、二十代は、活字離れ、本離れが深刻化している。

知力全般を比較するのは難しくとも、読書力という観点で見たときには、日本はこの数十年で明らかな衰退傾向を示していると考えている。難しい本、厚い本、漢字の多い本、文体の硬い本などは嫌われている。

「単なる娯楽のための読書ではなく」、「多少とも精神の緊張を伴う読書」が、この本のテーマだ。ちょっときついけれども楽しい。この感覚を読書で子どもたちに、そして大人たちに味わってもらいたい。この感覚があれば、どの本を読むのかはやがて自分で決めていけるし、ゆたかな世界へ入っていける。

この本の構成は次のようだ。

序章では、読書力とは何か、なぜ読書力などということを言い出すことになったのかについて、思いのたけを述べた。たとえば、「文庫百冊・新書五十冊を読んだ」を「読書力がある」ことの条件とした。何を勝手なことを言っている、と言われそうだが、何も目安がないよりは目標ができやすいと考えて具体的な数字を挙げた。思いつきの数ではなく、読書が習慣化するラインがこのあたりだと考えた。

第Ⅰ章「自分をつくる」では、読書が自己形成にとって強力な道であることを書いた。「いまどき自己形成のための読書とはいかにも懐古的な」と思われるかもしれないが、時代は進んでいるようでも、個人個人はやはりゼロからスタートする。読書はあいかわらず自己形成の王道だと思う。

第Ⅱ章「自分を鍛える」では、読書をいったんスポーツとして捉えて、上達のプロセスをクリアにしてみた。あまりにも精神的な行為として見られて敬遠されがちな読書を、一度スポーツや芸事のような身体的な行為として考えて、読書になじみやすくなってもらいたいという気持ちからだ。

第Ⅲ章「自分を広げる」では、コミュニケーション力の基礎としての読書の役割について具体的に書いた。本を読むことで対話力はアップする、と私は確信している。話の文脈をつかまえる力は読書で確実に養われる。

巻末には、「大人の読書」に移行するための文庫百タイトルをひとつの例として挙げておいた。目安として利用していただければ幸いだ。

読書力に対してあまりにも熱く語るあまり、行き過ぎた表現もあるかもしれないが、そこは真意を汲み取っていただき、ぜひとも〈読書力〉を一緒に盛り上げていってほしい。

そのシンプルな思いで、この本を書いた。

読書力

目次

目次

II　自分を鍛える――読書はスポーツだ　109

序

読書力とは何か

「本を読む読まないは自由」か

今、若い人の間では、読書は流行《はや》っていない。流行っていないどころか、すっかり廃《すた》れてしまっている。まともな内容の本を月に一冊も読まない者が少なくない。私は大学に入学したての学生たち数百人に、毎年読書量を聞いている。まったくと言っていいほど読まない者が三割ほどはいる。きちんとした本に限定すれば、半分以上が読書の習慣を持っていない。

大学の勉強は、大量の本を読むことを前提として行われるのが普通なので、まずは基礎体力づくりから始めなければいけないことになる。本を読むという習慣をつけるのが夏休みまでの大きな仕事になる。私が読書の重要性を強調し、何としても本は読まなければ駄目だというと、学生の中には、あとで授業の感想文に「本を読む読まないは自由だから、強制しないでほしい」と書く者もたまに出てくる。

本当に、「本を読む読まないは自由」なのだろうか。

私はまったくそうは思わない。少なくとも大学生に関しては、百パーセント読書をしなければ駄目だと考えている。こんなことは大学ではかつては当たり前のことであった。しかし現在は、「なんで読書しなくちゃいけないの？」という問いに答えなければならない時代になっている。「なぜ人を殺してはいけないか」について、まじめな議論がなされる時代なのだから、読書の必要性について疑問が出されるのも無理のないことなのかもしれない。

この本は、この「なぜ読書をしなければいけないのか」という問いに、答えようとするものだ。

読書が習慣化している人間は、読書が素晴らしいものであることを知っている。そして、その素晴らしさを伝えたくなる。読書をあまりしたことのない人に本を読ませたい。これは、立派な〈教育欲〉だ。

しかし、欲だけむき出しにしても、相手が言うことを聞いてくれるとは限らない。本を読む習慣のない人を説得したい人が使う説得の論理を提示したい。説得と言っても、頭ごなしというわけではない。本を読むとこんなにいいことがあると知らせることによって、本を読む気にさせる、これも説得である。

何のために読書をするのか。読書をすると何がよいのか。こうした問いに対する私の答えは、たとえば、読書は自己形成のための糧《かて》だからであるというものであったり、読書はコミュニケーション力の基礎となるからだ、といったものである。

第Ⅰ章と第Ⅲ章では、それぞれ自己形成としての読書と、コミュニケーション力の基礎づくりとしての読書について述べたい。

第Ⅱ章では、読書を一度スポーツとして捉え、その上達のプロセスをクリアにしたい。つまり、「技」としての読書が第Ⅱ章のテーマとなる。

読書してきた人間が「本は読まなくてもいい」というのはファウル

本を読む習慣のない大学生が、つまり、読書の本当の喜びを知らない人が、本など読まなくてもいいのではないかと言うのは、たしかに腹が立つが、理解できないわけではない。好きも嫌いも、当の読書をそれほどやっていないわけだから、読書の必要性がよくわからないのも、ある意味無理はない。

私がひどく怒りを覚えるのは、読書をたっぷりとしてきた人間が、読書など別に絶対にしなければいけないものでもない、などと言うのを聞いたときだ。こうした無責任な物言いには、腸《はらわた》が煮えくり返る。ましてや、本でそのような主張が述べられているのを見ると、なおさら腹が立つ。自分自身が本を書けるまでになったプロセスを全く省みないで、易《やす》きに流れそうな者に「読書はしなくてもいいんだ」という変な安心感を与える輩《やから》の欺《ぎ》瞞《まん》性に怒りを覚える。

本は読んでも読まなくてもいいというものではない。読まなければいけないものだ。こう断言したい。

私は、自分自身の自己形成が読書に大きく負っているということを認識している。自分が考えるときに、読書によって培《つちか》われた思考力が生かされているのを感じる。対話をするときにも、読書経験が大きくプラスに働いていると日々感じている。読書を通じて得た様々な力を日々活用しているので、「読書はしなくても構わない」などと若い人に向かって言うことはできない。

若者に読書をしなくてもいいという大人は、自分の後から来る者たちが読書習慣を持たずに無知のままでいれば、自分が優位に立てるとでも思っているのであろうか。本を自分で書くくらいのレベルにある人間は、当然読書習慣を持っているはずだ。少なくともある時期に大量に本を読まなければ、著作活動を持続するのは難しい。書くことは読むことの氷山の一角だと私は考えている。読書は単に情報の摂取のためにあるばかりではない。思考力を鍛え、人間をつくるものだ。読書という真面目な行為を軽視するような発言をすることで、権威的なものからいかほどかフリーになっているポーズをとる欺瞞には耐えられない。

私は自分の思考力の重要な部分を読書経験に負っていることをはっきりと感じている。したがって、読書をするきっかけを与えてくれた親や教師、周りの環境に感謝している。

読書は放っておいても自然にするものだ、などということは大きな勘違いだ。第Ⅱ章で述べるが、本を読むことはスポーツと同じところがあって、自然にするものではない。ましてや上達するためには、練習が必要だ。

読書は、四股《しこ》に似ている。相撲を取るための素地をつくる最良の方法が四股である。相撲部屋で四股を踏まなくていいというところは一つもない。もし自分が四股を踏み続けて相撲が強くなっているのに、後輩には四股など踏まなくてもいいと指導する者がいれば、その者は責を問われるべきであろう。

読書は思考活動における素地をつくるものだ。もちろん読書をしなくても考えることはできないわけではない。しかしそれは、四股を踏まない者が取る相撲のように、レベルの低いままに止《とど》まる。本格的な思考力は、すべての活動の基礎だ。経済活動にせよ、詰まるところ思考力である。日本経済の危機が叫ばれているが、読書力の復活こそが、日本経済の地力を上げるための最良の方法だと私は考えている。

「読書力がある」の基準は？

読書力がある、とはどういうことか。

この問いに対して、一定の基準を提示してみたい。読書好きと「読書力がある」は違う。もちろん一致する場合も多いが、好きな推理小説作家の作品だけを読み続けている人は、読書好きとは言えるが、読書力があるという保証はない。

厳密な基準を提示することは難しいし、基準づくりが目的ではないが、ある程度客観性のある目安をあえて出してみることで、読書を上達させていく際の目標設定がしやすくなるのではないだろうか。読書力の効用は、第I章以下でたっぷり述べるが、ここでの基準も、私の考える「本の読み方」の理想的ステップを示したものだ。

さて、私が設定する「読書力がある」ラインとは、「文庫百冊・新書五十冊を読んだ」というものだ。「力」を「経験」という観点から捉えた規準だ。

まず、ここでいう文庫本は、推理小説や完全な娯楽本を除いたもので、イメージとしては、「新潮文庫の百冊」のラインナップのようなものだ。「新潮文庫の百冊」も、私自身が高校生の時に読んだ百冊に比べると、全体に易《やさ》しいものが増えてはいる。しかしそれでも、ある程度評価の安定した本が多いので目安になる。

精神の緊張を伴う読書

小学生でも読めるあまりにも楽しい読み物は、ここでは除くことにする。そのため、星新一のショートショートは質が高いが、ここでは数に入れないことにする。ヘッセや漱石の作品のような名作は、もちろん問題ない。司馬遼太郎の小説あたりが、ちょうど境界線になる。歴史小説は、様々な人物像との出会いもあってよいのだが、場合によっては推理小説と同じように、完全な娯楽としてはまりこんでしまうことがある。「精神の緊張を伴う読書」が、ここで想定している読み方だ。精神の緊張が伴うかどうかは、厳密に計ることのできるものではない。しかし、自分で読んでいてもある程度グループ分けできるのではないだろうか。作家や著者は偏らずに散っているのが望ましい。

文庫のスタイルに慣れる

文庫本を読むというのは、小学校時代の「子どもの読書」からのステップアップである。小学生はあまり文庫本は読まない。大きな活字の児童書が多い。文庫本は、大人の感じがする。文庫本は持ち歩きやすい。日常でいつも本を携帯し、時間の空きを見つけて読む。そうした読書のスタイルが、文庫本という本のスタイルとはセットになっている。

「読書力がある」ということは、読書習慣があるということでもある。読書が苦にならずに日常で何気なくできる力、これが読書力である。「精神の緊張を伴う読書」は、はじめのうちは疲れるものだ。一冊を読み通すのにも、かなりの精神的なエネルギーが必要だ。それを何冊かを通して乗り越えていくうちに、だんだんと慣れてくる。はじめのうちは、十頁ほど読んでは休み、あと何頁あるかを測る。

私も中学高校の読み始めの頃は、よくあと何頁なのかを見ながら読んだ。数行読むだけで意識が飛んでしまい、白昼夢に陥ることもよくあった。いきなり長い文章は辛いので、『O・ヘンリ短編集』のような、やさしくてオチのある短編を初期の練習メニューとしていた。そうした短編集でも、読み通すことで、徐々に読書という行為に慣れていく。

文庫本を自分で書店で選んで買い、カバンやポケットに入れておいて、暇を見つけては読む。こうした生活習慣があるかないか。これが決定的な違いだ。現在の高校生でこの習慣を持っている者は、少数である。

読書力が明らかに高いと思われる人たちは、私の聞くところでは、おしなべて「文庫本時代」を経過している。かなりの量の文庫本を読みこなしてきた果てに、様々なハイレベルの読書をしている。

文庫本には文学が多い。文学系をまったく通らずに、読書するということももちろんある。国語教育が文学教育になりすぎているという批判も、従来よくなされてきた。しかし現実には、文学教育も弱くなっている。自己形成としての読書は、読書の重要なテーマだ。私が考える読書力は、文学をまったく排除したものではあり得ない。純文学とは言わないまでも、人生のある時期に文庫に収められている様々な名作を読んでいることを、読書力の一条件としておきたい。

そのように設定するのは、私の勝手な願望からではない。これまで日本で読書力があると暗黙のうちにされてきた人々は、このような名作文学を読んでいるということを含んでいたからだ。読書力という言葉が喚起するイメージに、これまでの日本の高い読書文化の基準を織り込ませておきたい。

新書五十冊

読書力の基準として、文庫とは別に新書を設定したのは、新書が文学系とはまた違った知識情報を獲得する読書力を要求するからだ。新書は文庫と判型が違うだけでなく、従来は内容上の一定の性格を持っていた。岩波新書と中公新書が、新書の伝統を日本においてはつくった。学問の大家が一般の人にもわかりやすい形で、しかも内容の質を落とさず書く、というのがこの二つの新書のスタイルであった。講談社現代新書は、これらより読みやすい文体で気楽に読めるスタイルを取っていた。

岩波新書を例に取れば、一九三八(昭和一三)年からはじまる戦前の赤版には、斎藤茂吉『万葉秀歌』、羽仁五郎『ミケルアンヂェロ』、ウェルズ『世界文化史概観』、ブルーノ・タウト『日本美の再発見』、アインシュタインとインフェルト『物理学はいかに創られたか』、鈴木大拙『禅と日本文化』といった私も馴染《なじ》んだラインナップが並んでいる。これは新書のスタイルを象徴している。さまざまな分野に対する認識を高めることをねらいとした、質の高い啓蒙的なシリーズである。中公新書もまた、歴史分野に重きをおきつつ、高い質の啓蒙書を安定的に供給し続けてきた。

最近の新書創刊ラッシュによって、新書のイメージも若干変わってはきた。やさしい内容のものも多くなった。老舗《しにせ》の岩波新書と中公新書にも、必ずしも精神の緊張を伴わなくても読めるものも入れられてきた。しかしそうは言っても、ある程度質の高い知識情報がコンパクトにまとめられているという新書の性格は、基本的に維持されている。

漱石や芥川龍之介を読む小学生がいてもさして驚きはしないが、新書を読みあさる小学生がいれば驚きを感じる。読書文化における新書スタイルが、子どもにはミスマッチに感じられるからだ。もちろん現在の子どもたちは情報処理能力は高いので、新書を読むことも十分あり得る。しかし、第Ⅱ章で述べるように、物事には基本的な順序というものがある。

文庫系と新書系をあえて分けるならば、文庫系の方が先に読書習慣に入ってくるのが自然だろう。文庫系の読書をまったく経ずに新書に突入する場合もあるかもしれないが、それは少数派である。基本的な順序関係として言えば、文庫系をひと通りこなした後に、新書系の読書が折り重なってくるということになる。時期的に言うと、中学高校で文庫本に馴染み、高校の終わりから大学二年くらいまでが新書時代となる。これがかつての新書との出会いの基本的イメージだ。

現在は、新書は学生が読むものではなく、三十代から五十代までの男性が中心に読むことが主となっている。つまり、学生に新書を読む習慣がなくなったということだ。学生は、新書の主たる購買層ではない。これは重大な変化だ。学問をコンパクトにまとめたものは、学問の入門書として最適だ。学問をし始めるはずの大学生がそれを読むことは自然であるのに、新書を読む読書習慣が大学生にないとすれば、それはむしろ不自然なことだ。

私の考えるところでは、新書を読むことが、読書力の重要なラインだ。

私自身「新書時代」とでも呼びたいほど新書にはまった時期があった。十八、十九、二十歳あたりがそのピークだった。岩波新書で言えば、E・H・カー『歴史とは何か』、島崎敏樹『感情の世界』、霜山徳爾『人間の限界』、丸山真男『日本の思想』、朝永振一郎『物理学とは何だろうか』、ポルトマン『人間はどこまで動物か』、内田義彦『社会認識の歩み』など、新書世界にのめり込んだ。短い期間に百冊、二百冊と読んだが、どれも素晴らしい栄養のある食物に感じられた。

新書は、より大きな知識体系への入り口になっている。一冊を読めば、よりレベルの高いものを二冊、三冊と読みたくなる。そうした吸引力がある。「知識欲」というのは刺激されれば、誰にでも本当に生まれてくる。新書という読書文化のスタイルは、まさにこの知識欲をかき立て、促進する最良の糧だ。

新書五十冊をこなしたかどうかは、私の経験から言えば大きな違いとなっている。五十冊というのは、およそ月二冊で二年、月一冊で四年といった現実的な量だ。十冊程度ではまだ「技」として不安定だが、五十冊になると新書系の読書に確実に慣れてくる。

本は高いか

私は大学の教師をやっていて、大学生が新書を読む習慣がもはやないことを知っている。これを私はあまりにもったいないと思うので、学生には新書読書をひたすら勧めている。というのは、新書は書かれてある内容に比して値段が安く手軽だからだ。つまり、コストパフォーマンスが高い。本は総じて、込められているエネルギー量と文化的価値の高さに比して、決して高価ではない。大学一、二年生ならば、新書五十冊を自己投資として購入し読むことを強く望みたい。

私は本を読むときに、その著者が自分ひとりに向かって直接語りかけてくれているように感じながら読むことにしている。高い才能を持った人間が、大変な努力をして勉強をし、ようやく到達した認識を、二人きりで自分に丁寧に話してくれるのだ。いくら高くても高すぎるということはない。現実にはそれが数百円なのだから、話を聴かない手はない。昔の日本の師弟関係のように、先生の話を正坐して一人で弟子として聴かせてもらう。これは、贅沢な時間だ。

もちろん書かれた本であるから、本当のライブのような、話し手の身体から発する雰囲気や親しさというものは十全ではないかもしれない。しかし、本当によい本は、書き言葉の中にその人の息づかいが込められている。感情の起伏も文章に表れる。気概や志《こころざし》は、むしろ凝縮して炸裂している。

著者の中には、ライブよりも本の方が言葉に深みがあり、キレがいい場合の方がむしろ多い。書かれた言葉には、人格や身体性、その人の雰囲気が込められている。そのうえ内容は、ただライブで話をするときよりも構成が緻密であり、情報が正確である。

一人で大家の凝縮した話を聴く贅沢な時間、というイメージさえ持てれば、新書読書は、もったいなくてどうしてもやらずにはいられなくなる。

講演会を聴くのは楽だ。それは、話し言葉だからである。書き言葉になると、自分から吸収しなければいけない面があるので、精神的な緊張を要求される。しかし、この書き言葉に慣れてしまえば、書き言葉ならではの栄養価の高さに充足感を覚えるようになる。書かれた言葉を苦にせずに読めるという「技」が、自分の世界をとてつもなく広げてくれるのである。

もちろん講演会や授業などのライブには、話し言葉ならではの活きのよさがある。そのプラス面と本を読むことのプラス面とを、私は常に比較してきた。大学時代には、果たしてその授業の一時間半が、一時間半の読書に匹敵する内容があるのかどうかを吟味した。そして、一時間半読書をした方がよいと判断したときには、講義より読書を選んだ。

新書のイメージとして、知識を要領よくまとめているというイメージもあるだろうが、私にとっての新書は、もっと著者の息づかいや志が感じられるものだ。優れた人物と二人きりで話が聞ける喜びを、私は新書から感じ続けてきた。読書力の基準として、新書を文庫とは別に立てたい思いが、私にはどうしてもある。

要約を言えることが読んだということ

よく「あの本読んだことある」という言い方がされる。本の理解度はさして問われてはいない。自分なりに読んだという基準で普通は使われている。全部を初めの頁から終わりの頁まで読み終えるケースもあるだろうし、途中で行き倒れるケースもある。最後の文字までを読まなければ、読んだということにならないのならば、オール・オア・ナッシング(all or nothing)になってしまう。半分以上読んで内容をかなりの程度理解していても、「ゼロにカウントする」というのは、読書の経験をつんでいくときに、障害になりかねない。

私の基準としては、本を読んだというのは、まず「要約が言える」ということだ。全体の半分しか読んでいなくとも、その本の主旨をつかまえることは十分にできる。数頁関心を持てないところを飛ばすこともある。およそ半分以上に目を通し、要約が具体例を含んで言えるのならば、「その本は読んだ」と言えると私は考えている。小説の場合は、要約をすることが最重要課題ではないので別だが、新書系や評論の場合は、半分以上に目を通してあって要約ができれば読んだことにしてもいいと考えている。

こう考えるのには理由がある。一つは、字面をいくら目で追ったとしても、あらすじや要約が言えないようでは、読書をした効果が薄いからだ。要約できることを読んだことの条件にすることによって、いつでも要約できるかどうかを自問するようになる。「で、どういう内容だったの」と人に聞かれて、かいつまんで内容が話せるようであれば、他の人にも役に立つし、自分の読書力を向上させる目安になる。

もう一つの理由は、読んだということの基準をあまり厳しくすると、本をたくさん読みにくくなるからだ。もし全頁を読んだことが条件となるのだとすれば、どうしても数は少なくなる。途中で行き倒れる本があるのは自然なことだ。百冊買ったならば、最後までいく本が二割程度でもおかしくはない。残りの八割がゼロかと言えばそういうことはない。

半分以上読んで内容を理解していれば、それは十分読んだということになるし、二割程度の分量を読んで八割の内容をつかめば、それは読書上手と言える。二割の分量ではさすがに読んだとまでは言えないかもしれないが、半分以上を読み、内容把握ができていれば十分ではないだろうか。「あの本読んだことがある」と言ってみたい気持ちは誰にでもある。読んだという基準を多少ゆるめに設定することで、本をめぐる会話が活性化する。本をめぐる会話の重要性は第Ⅲ章でも述べたい。

新書は要約力を鍛える

本の内容を論理的に把握することは重要だ。新書というスタイルは、要約力を鍛えるのに向いている。小説はあまり要約してしまうと味わいがなくなってしまうこともある。しかし、新書スタイルならば、その本の主旨が要約されている箇所が一般的には、はっきりしている。本の一番の主旨が書かれているところをしっかりとつかみだし、そこを頭の中にたたき込むことが、内容把握のコツだ。

本は通常、全体が均等の価値で書かれているわけではない。著者自身が強調したいポイントがある。一番肝心なところをしっかりとつかまえる練習をするためには、新書読書がトレーニングメニューとして効果的だ。

読書力検定がもしあったら

私はこの本で、読書力は人間理解力、コミュニケーション力であることを述べていくつもりだが、狭義の読書力について、さらにもう少し説明したい。

読書力があるということを、文庫系百冊新書系五十冊というように目安を立ててみた。ただし、これは経験だ。

現時点での読書力をはかることも、読書力を高めていくことに役立つと思う。一つの手段として「読書力検定」といったものは考えられないだろうか。

ゆっくり味わう読書もあるし、情報を摂取する読書もある。一概に読書力をテストで決めるのは簡単ではない。ただし、速く読むことと知識や情報を的確に捉えることは矛盾しない。一流のノンフィクションライターの方などは、大量の読書を短時間でこなす。これは、どう考えても読書力があると言える。対照的に、新書を一冊、目の前に出されて読めと言われても、どうしていいかわからない人もいるだろう。与えられた時間が五分なら五分、三十分なら三十分で読み方を変えることができるのも読書力である。

私が読書力検定というものを行うとすれば、やり方はこうだ。全員に同じ新書数冊を渡し、三十分程度で要点に線を引いてもらう。読むのが遅い人は、一冊分に線を引くことさえもできないだろう。反対に読書力のある人は、短時間に的確に線を引いていくことができる。私が考えていることは、速読術とは少し違う。全頁に素早く目を走らせるという技術というよりは、内容を的確に把握するメリハリのある読み方である。

「重要なところに線を引く」という課題は、本を読む力をはっきりと表に出させる。本を読む力のある人から見れば、線の引き方でその人に対する理解度がわかる。あまりにも中心でないところばかりに線が引かれてあれば、さすがに読書力があるとは言えない。重要な主張は外さず、しかもその主張の根拠や例証となる事柄にチェックがしてあれば、「ああこれは読めているな」とわかる。

その本について考えたことを述べるということになると、読書力をはかるのとは別の要素が大きくなる。気の利いた発想ができる人間の言うことや書くものはおもしろい。しかし、それは読書力そのものではない。本一冊のうちの重要な箇所に線を引くことができるというところまでが読書力だとしておくことで、ハードルが低くなる。オリジナルな感想を言わなければ読んだことにならないということはない。

採点は、想像しているよりは簡単だ。新書五冊を三十分でこなすという課題であれば、そもそも冊数が実力によって異なってくる。しかも、その一冊一冊の読みこなしの精度は、一目瞭然である。あまりにも飛ばし読みをしすぎて、重要なポイントを逃している場合には、当然評価は低い。キーワードにしっかりと○がつけられて、線を引いてある箇所だけをどんどん読んでいけばその本の内容がわかるようになっている。そうした引き方をする人は、読書力がある。線を引いた箇所をたどって読んでいって論理的な筋道がはっきりとつかめるようであれば、得点は高い。

超絶的な読書力のある人間でなくても、審査員にはなれる。事前にどうしてもチェックしなければいけない箇所を本ごとに十箇所二十箇所と共同討議しておけば、そのうちのどの程度で線引きの漏れがないかで、およそのランクづけができる。

社会で求められる実践的読書力

このタイプの読書力検定は、社会で実際に求められる能力に即している。その意味で実践的だ。資料を十冊ほど渡されて、一、二時間で的確に処理できる人には、多くの仕事を頼むことができる。どんな仕事でも、情報処理能力は必要な時代だ。本は選び方さえわかっていれば、かなり効率のいい情報媒体である。本の選び方自体にも、短時間で内容を把握する読書力が必要とされる。この読書力がある人間は、要点をつかむのが速いので、仕事上の連絡等も的確なはずだ。

私は入社試験や大学入試などで、この方式が採用されることを望んでいる。大学入試では、社会科などでは些末とも思える知識が相変わらず問われている。「受験勉強をするために本を読めない」というのは、本末転倒でばかげている。大学に入ってからの勉強は、文系はとりわけ本を読むことが中心のはずだ。理系でも論理的思考を鍛えるのに読書は必須だ。多数の論文を的確に読まなければならない。その大学に入学後に本当に必要とされる力を問うシステムが、入試の理想型である。

受験勉強が無駄だということはないが、読書が否定されるようなあり方は間違っている。本を目の前に数冊積まれて、短時間で読みこなすことができる人間であれば、どの学部でもおそらく通用するであろう。対照的に、とりあえず暗記はしているが読書力がない人間では、その後の勉強がはかどらない。

大学はこれから受験方式の多様化の時代に入る。アドミッションズ・オフィス方式が広まってくるだろう。これは、入試専門の事務局をつくり、従来の画一的な入試ではない多様な入試方法を可能にする入試システムだ。面接試験をしたり、小論文を書かせたりするのも、もちろん無駄ではない。しかし、読書力を問うのは、より客観的な審査方法ではないだろうか。その読書力試験に通るように努力すること自体が、日本の教育問題解決の鍵となり、社会全体の地力をアップさせていくことになる。

これからは、学校も企業も少数精鋭の形をとるところが多くなるだろう。そのときに、本当に実力のある者を採る一つの有力なやり方として、このスタイルの読書力検定をお勧めしたい。この検定で大きく篩《ふるい》にかけた後、これをめぐる小論文や口頭試問を少人数で行えばよい。一冊では得意不得意が出るであろうが、分野の違う五冊になれば、自ずと力は表れる。一分野においてでも突出した読書力とセンスを示す者を採用したければ、そうすればよいだけのことだ。

勉強の仕方は、試験のスタイルが決める。試験が些末な知識を問うのであれば、勉強は自ずとそのようなものにならざるを得ない。試験と事前の勉強は、鶏が先か卵が先かという関係にはない。試験のスタイルが変われば、勉強は変わる。今日本に求められているのは、本格的な読書力を問う試験スタイルである。

なぜ百冊なのか

読書力があることの基準を文庫系百冊新書系五十冊を読んだことにおいたが、なぜ文庫系百冊なのか。

それは、読書が「技」として質的な変化を起こすのが、およそ百冊単位だからだ。もちろん一冊一冊で読書力には変化が起こる。しかし、大きな観点から見たときに、質的な違いがはっきりと表れる冊数となると、十冊二十冊ではなく、百冊ということになる。「技」になるポイントというものがある。習慣となり、それをすることが当たり前になるポイントである。あるいは、常にミスすることなく、的確にコンスタントな読み方ができるというレベルでもある。百冊ほどまともな本をこなすと、少なくとも本に対する慣れが出てきて、量的な恐れは少なくなっている。日々の忙しさの中でも、本を読むことはさほど苦にならなくなる。読解力という点から見ても、百冊以上こなしている学生とそうではない学生とでは、明確な差がある。

読んだ本の冊数が多いほど読解力が高まるのは当然だが、「読書力がある」というために、千冊以上の本を読まなければならないという条件を設定したとすると、一般的には無理がある。学者のように読書が職業の一部である場合や格別な読書人を、読書力の基準にするわけには行かない。かつての日本の大学生の多くがこなしていた程度の量が、現実的に妥当な設定であろう。

有効期限は四年

では、百冊をどのくらいの期間で読めばよいのか。もちろん一生かけて百冊に至るのでも悪くはない。しかし、トレーニング効果を考えると、有効期限は一応四年と設定したい。昔はできたんだが今はできない、というのでは技とは言えない。完全に忘れてゼロになってしまう前に、反復練習を重ねていくことが、トレーニングでは必要だ。そして、ある程度集中した練習期間をもつことによって、技が定着してくる。厳密に四年というわけではないので五年程度でもかまわないが、十年では間のびしてしまう。

百冊というのは、大ざっぱに言って、月二冊で四年、月四冊だと二年かかる数字だ。中学高校で文庫系を三、四年でこなし、それに続いて新書系をこなす。これが、知力のトレーニングとして日本人の当然のメニューになれば、この国が地盤沈下するという不安を払拭することができると考えている。いまや中高生でない年齢の人にも、四年を目安に始めていただきたいと思う。

百冊というのは、きりのいい数字だということもあるが、私なりに考え抜いて出た冊数だ。読者の方は、ご自分の身の回りで百冊以上読んでいる人とそうでない人の二種類をおよそ分けて見てみてほしい。百冊こなしていると明らかに思われる人は、読書が習慣として身についているのではないだろうか。

また、話す内容を聞いていても、百冊をこなしていない人よりも、明確さや説得力があるのではないだろうか。つまり、新書系も含め、百五十冊以上をこなしている場合には、一定のレベル以上の知力や教養が感じられるはずだ。百五十冊をこなしているのに、まったくそれが表に出ないように振る舞うのは、むしろ難しいことだ。

本は「知能指数」で読むものではない

運動神経のいい人が、そうでない人よりもスポーツをたくさんし、いっそううまくなるということはもちろんある。読書の場合にも、それがないとは言えない。しかし、読書は運動とちがって、素質を必要としないものだ。練習の仕方次第で誰でもかなりの程度にまでいける。しかも、読書によってつく力は、とても個性的なものでもある。

かつて、浅田彰の『構造と力』（勁草書房）がフランス現代思想を扱った本としては異例な売れ行きを示した。当時ある企画で、知能指数の高い、しかし普段本を読まない人にこの本を読んでもらったところ、全然わからないという結果が出た。そのときその人は、「私は知能指数が高いのにわからないのはおかしい」というコメントをしていたと記憶するが、それは読書というものを勘違いした発言だ。

読書は「知能指数」でするものではない。むしろ、本を読んだ蓄積でするものだ。その意味では、長距離のランニングや歩行に似ている。取り立てて足が速い必要はない。毎日走って、少しずつ距離を伸ばしていけば、かなりの人が長距離のランニングに耐えることができるようになる。運動神経がよい人でも、長距離走の練習を日々積んでいない場合には、練習を積んできた素質の低い人よりもパフォーマンスは低くなる。

読書は、まさに「継続は力なり」がリアリティをもつ世界だ。だからこそ、百五十冊といった読書量を読書力の基準として挙げたのである。それだけの量をこなした人は、それに相当するだけの読書の力量があると考えて差し支えないという判断である。

「小学校時代は本を読んだけど」の謎

全国的な読書アンケートによれば、日本の小学生の読書量は目立って少なくはない。しかし、それが中学高校になると、壊滅的と言うに近いほど読書は少なくなっていく。「小学校時代は本が好きだったのに、中学以降はなぜか読まなくなった」というのが、日本の一般的な傾向だ。

文章を読む力自体は、当然小学生よりも中高生の方が優っている。それなのになぜ読書量が減るのであろうか。

小学校時代の本好き読書好きというのには、実はトリックがある。その読書の多くが、児童書なのだ。現在の小学生の好きな本でいうと、「ネズミ君」のシリーズさえも読書に数えられる。これは、完全な絵本だ。絵本に近いものや完全な子ども向けのエンターテインメントを冊数に数えても、大人の読書とはあまりに開きがあり参考にならない。

小学校時代の読書習慣はもちろん大切だ。しかし、長期にわたって中高生が読書離れを起こしている現状から見れば、小学校時代の読書指導にもある程度の問題があると考えるのが妥当だろう。中高生が読書をしないのは、読書指導がしっかりとなされていないからだ。読書は自然にするものではない。しかし、適切な指導があれば、かなりの者が本を読むようになる。

現在、「朝の読書」運動が全国的に広まっている。朝の十分から二十分間を、本を読む時間に当てるという運動だ。読む本を指定しない、感想文を要求しないなど、制約の少ない形で本を読む時間だけを確保する。この運動は、読書を習慣づけるのに実に効果的だ。

大学で教える立場からすれば、高校卒業時には高度な読書力さえあればいいと言ってもいい。現実には、受験勉強のために読書をしない本末転倒が起きているだけなので、この朝の読書運動によって、読書が習慣づけられるのは、実に教育の本道と言える。本を読むことは、学校教育において、プラスアルファのように現在は考えられているが、それは誤りだ。学校教育の主な目的、カリキュラムとして、読書力の養成を位置づけることが必要である。すべての教科が読書力の養成につながるように構成されるべきだとさえ、私は考えている。

定期試験に読書問題を入れる

私は、読書力の養成を学校教育の最大の課題だと考えているので、自分が主催している教師の研究会の参加者たちに、中間や期末試験に読書力を養成する問題を組み入れてほしいと提言した。

たとえば百点満点ならば、そのうちの十点から十五点を読書クイズに当てる。課題の本を決めておき、その本を読んでいさえすれば答えられる簡単な問題をいくつか用意する。国語ならば、中間・期末試験の範囲となる課題文とは関係ないものでいい。広く名作から課題図書を選ぶ。国語よりは多少はやりにくいが、たとえば地理や歴史ならば、その学習内容に多少とも関連のある一般的な書籍を課題図書にするのが自然だろう。事は数学や理科でも変わらない。数学史の本や理科系の書物は、世に溢れるほどある。たとえば、ヨーロッパの地理や歴史をやっている場合に、塩野七生の『ローマ人の物語』(新潮文庫)などの、イタリアの歴史本についての文庫本を課題にすることもできる。

生徒に強制的に本を買わせることはたしかに難しいが、本に対してまったく投資をしないという姿勢を崩さない消極的な姿勢に対して、教師側が強く働きかけていくことに意味がある。その分教師側は当然、本の選択等には責任を負うことになる。義務教育で教科書が無償で配られることに慣れすぎている弊害が、高校にまで及んでいる。常識的な範囲での出費を考えていい時期に来ているのではないだろうか。

実際にやってもらってみたところ、生徒たちにはおおむね好評であった。とくにその科目の当該範囲ができない生徒にとっては、読書をするだけで何点か確保できるのはうれしかったらしい。

定期試験に読書を組み込むことには、拒否反応を覚える人もいるだろう。しかし、現実問題として高校生の読書離れは、深刻な問題だ。強烈な動機づけが必要である。定期試験のうちの十点分を読書に当てることは、教育としてそれほど本道を外れたものではないと考える。

このプロジェクトを三年間実践してくれた法政大学第一中・高等学校の国語科の岩井歩教諭によれば、このプロジェクトを実践したクラスの読書力は格段に向上したということだ。三年間で文庫本二十冊プラス新書二冊を課題とした。半学期におよそ一冊のペースだ。課題本のラインナップは、たとえば次のようなものだ(次頁表参照)。

本は強制的に読まされるものではないという意見ももちろん若干あったが、三年間実践したあとの生徒の感想の代表的なものは、次のようである。

・哲学的な作品とコミカルな作品と両極端な文学を読んできたという印象があるが、コミカルな作品は読み易く、スラスラ頭に流れ込んできたが、今心に残っているのは哲学的な作品からの心を打ったフレーズが多い。

・正直に言うと、課題本を読むのは嫌だった。でも、いざ課題本を読んでみるととてもおもしろい本もあったりして読んでいて楽しかった。やはり読書をすると知識が豊富になると改めて思った。

・最初はメンドーだと思っていたが、三年間読んだ数を見てみるとうれしく思った。読み始めた時は、先を早く読みたいと思うが、最後の1ページになると本への親しみが生まれた。しかし、本棚に並べた時数が少なくどこか空しかった。友達が少ない時みたいな気分だった。もっと本を読み、本の世界の友を増やしたい。

・「無理強いした」とか言っていたが、そんなに嫌がっている人はいなかったです。

	タイトル	著　者	出版社
中3	友　情	武者小路実篤	新潮文庫
中3	さ　ぶ	山本周五郎	新潮文庫
中3	車輪の下	ヘッセ	新潮文庫
高1	君たちはどう生きるか	吉野源三郎	岩波文庫
高1	地獄変・偸盗	芥川龍之介	新潮文庫
高1	もの食う人びと	辺見　庸	角川文庫
高1	高円寺純情商店街	ねじめ正一	新潮文庫
高1	ぼくは勉強ができない	山田詠美	新潮文庫
高1	パンドラの匣	太宰　治	新潮文庫
高2	出家とその弟子	倉田百三	岩波文庫
高2	麦の道	椎名　誠	集英社文庫
高2	沈　黙	遠藤周作	新潮文庫
高2	春の夢	宮本　輝	文春文庫
高2	破　戒	島崎藤村	新潮文庫
高2	坊っちゃん	夏目漱石	新潮文庫
高3	フラニーとゾーイー	サリンジャー	新潮文庫
高3	金閣寺	三島由紀夫	新潮文庫
高3	読書と社会科学	内田義彦	岩波新書
高3	ハムレット	シェイクスピア	新潮文庫
高3	罪と罰	ドストエフスキー	新潮文庫
高3	取材学	加藤秀俊	中公新書
高3	ツァラトゥストラはこう言った	ニーチェ	岩波文庫

自分としては『フラニーとゾーイー』と『読書と社会科学』以外は、何か心に残るものがあった。一つ好きな本を読ませて感想を四〇〇字くらいで書かせるというテストがあっても面白いと思います。生徒はそういうの好きですよ。

・本は知識の底無し沼だと思った。課題を読ませる順序がよかったので、難しい本でも、読むことができるようになった。(すらすらとまではいかないが……)

顎を鍛える食らうべき書

話し言葉と書き言葉の間に溝《みぞ》があるように、子どもの読書と大人の読書の間にも溝がある。

読書力があるということは、食べるということになぞらえて言えば、強い歯や顎《あご》を持っているということにあたる。硬い食物は、成長期に歯や顎を鍛える。そして鍛えられた歯と顎でその後の人生を生き抜いていく。軟らかいファーストフードばかりを食べていれば、歯や顎の発達は妨げられる。その後の栄養摂取にマイナスの影響を与える。これと同じことが読書においても起こっている。

硬い内容の本は敬遠され、アニメやゲームといった、軟らかい、目力で消化することを求めない食べ物へと向かう傾向は加速している。読書をするための歯や顎が鍛えられないまま成人するということは、日本ではむしろ一般的だ。アニメは、硬い読書と比較すれば、スープにあたるだろう。マンガはスナック菓子だ。最近は、マンガにおいても活字の多いものはあまり人気がなくなっている。

ある実務学校（かつての教護院）の指導者の方々の話によると、その施設に入っている中学生たちは、本を読む習慣がほとんどない。マンガを読んでいるのを見て、非常に速い速度で頁をめくるので、はじめはすごいと思っていたが、よく見ていると活字を読んでいないことに気がついた。少年たちによれば、面倒くさいということだ。

読書の歯や顎は、鍛えられるべき成長期に鍛えられておくことで、一生の宝になる。児童文学は、いわば離乳食である。もちろん質の高い児童文学はある。質の問題ではなく、読みやすさという点で、児童書は離乳食だ。この離乳食としての児童文学は必要なものだ。そこで吸収される栄養は、豊富なものである。しかし、ここの段階をいくら繰り返していても、必ずしも歯や顎が強くなるとは限らない。離乳食止まりという人も出てきかねない。

次にステップとして、推理小説や歴史小説、エンターテインメントもの、雑誌やショートショートなど、わかりやすく読みやすい読書がある。これはいわば乳歯レベルの読書だ。内容がそもそも読み手が楽しめるようにできている。読んでためになる、あるいは読んで自分が成長するといった観点とは別に、おもしろいことが最優先される。おもしろく読みやすい乳歯レベルのものを読むことで、字には慣れていくが、だからといって本格的な読書に行く保証はない。これはいわば「エンターテインメントの溝《みぞ》」だ。

従来は、この乳歯レベルのものと本格的な読書が混同されてきた。本を読んでいるといっても、「自分をつくる」、「自分を鍛える」といった観点での、読む本の質が問題なのである。大学生にブックリストを作成させると、推理小説やSF小説だけでリストを埋める学生が何人も出てくる。これは、乳歯レベルの読書において循環し続けてしまっている状態だ。三十代、四十代の大人でも、このレベルの読書に留まっている人も多い。読書好きの大人の人にも、読書力の観点をもってもらいたいと思う。

この次の段階に、永久歯の読書がある。歯が生え替わる読書ということだ。高校生のときなどに、太宰治や坂口安吾の作品にはまることがある。これはちょうど歯の生え替わりだ。井上靖やヘッセも、この永久歯への生え替わりに貢献している作家だ。少し硬くてまじめだが、栄養があって、慣れてくるとおもしろい。心地よい精神の緊張が味わえる。そうした新しい感覚を味わわせてくれるのが、永久歯レベルの読書だ。

先ほどの「エンターテインメントの溝」を乗り越えて行く架け橋になる読書が、読書力の形成にとっては決定的に重要な役割を果たす。児童文学を読む読まないがその後に決定的な影響を与えるというよりは、この歯が生え替わる読書をするかどうかが、その後の人生の読書習慣にとって大きな影響を与えると、私は考えている。たとえ子ども時代にそれほどの読書をしていなくても、中高生時代に適切なきっかけがあり、大人の読書へ踏み込めば、後は問題なく進んでいくということはよくある。

歯が生え替わった本

読書をしてきた者が、自分の読書歴を振り返ってみれば、必ず大人の読書に入った境界線の本があるはずだ。ただエンターテインメントとしておもしろいというだけの読書を乗り越えた感覚をもった本との出会い。この経験は、私にもある。

私は小学校時代は読書を多くしたが、中学に入ってから減り、月に二冊程度の読書となっていた。高校に入ってからも読書量は増えなかったのだが、一年生の三学期に転機が訪れた。地理の担当の「めいちょう」というニックネーム(名前が明徴だったから)の先生が、三学期の地理の時間をすべて読書時間に当てたのである。自分の家から好きな本を一冊持ってきて、授業時間中に読みつづける。先生は指導はしない。ただ読みつづけるのである。たしか一時限が七五分程度だったので、七五分間は本を読みつづけることになった。

私は第一冊目に、たまたま家にあったアンドレ・ジイドの『狭き門』の文庫本を持っていった。学校で読み始めて途中までいくと、不思議とその後も読みたくなり、一冊読み終えた。その充実感は大きく、そこからは「新潮文庫の百冊」などを手がかりにして、次々に読んでいった。

今思えば、「朝の読書」のような運動だが、きっかけとしては大きなものだった。その後は、雪だるま式に読書量が増えていった。学校帰りに書店で文庫棚を見るのが楽しみになった。シンプルな読書指導であったが、効果は全員に対してあった。

日本は読書立国

私はこの本で、日本にとって未経験の読書力を強調しているのではなく、かつて日本が読書力において、世界最高レベルにあったことを背景にしている。江戸時代の日本の識字率が、当時の世界水準と比較して、著しく高かったことはよく知られている。農民や町民の識字率も高かった。寺子屋の果たした役割も大きい。明治七年から翌年末まで日本に滞在したメーチニコフの回想記(『回想の明治維新』岩波文庫)によれば、当時のロシアや西欧のラテン系諸国に比べて、日本人の識字率は高く、人力車夫や茶屋で見かける娘などが暇を見つけて本を読んでいたということだ。

江戸から明治へかけては、識字率が高かっただけではなく、読書の質も高かった。漢文を中心にした難しい書物が教科書とされていた。福沢諭吉の『学問のすゝめ』は、当時として爆発的な売れ行きを示したベストセラーであった。現在読んでみればわかるように、決してやさしくはない。それでも福沢は、多くの人に読まれるように、極めてやさしく書いたと言っている。漱石の小説も、多くが新聞連載小説である。当時の庶民は、難しい漢字に対するアレルギーが、現在よりはずっと少なかった。

総ルビ文化・世界文学の威力

もちろん学力自体が今とくらべて非常に高かったというわけではない。総ルビ文化が、この質の高い読書を助けていた。難しい漢字があっても、ルビが振ってあるので庶民にも読める。かつての雑誌や読み物には、ルビが振ってあり、子どもでも大人が読むレベルのものを読むこともできた。

現在の文庫本では、ルビは少ない。小学生が文庫本を読むことは、実質的にはかなり難しい。私は総ルビ文化は、復権すべき価値のある文化だと考えている。したがって、自分の本に採録するテキストは、総ルビにすることが多い。ルビを振るという作業は簡単ではないが、その文章に対する解釈を含むこともあり、意外に楽しい作業だ。声に出して読むためには、字の読み方がわかっている必要がある。そのためにもルビは、どうしても必要だ。

日本人のかつての読書力の高さを示すものとして、世界名作全集や思想系の全集の売れ行きの高さを挙げることができる。最も盛んな時の、全集の第一巻の発売部数は、現在では考えられないほど高かった。「百科事典を一家には一セット」という教養主義の現れでもあるが、現在の七十代以上の方にうかがうと、子どもの頃に名作全集を読んだことのある人が多いので驚いた。とくに世界文学の影響は大きい。ゲーテやスタンダールといった世界文学を、現在年齢の高い方ほど多く読んでいるのだ。

世界文学を読む習慣が減っていることは、日本文化の大きな特徴を一つ失うことになる。ドストエフスキーやトルストイといったロシアの作家は、アメリカではあまり読まれていない。それどころか、ロシア国内でも必ずしも皆に読まれているわけではないと聞く。しかし、ある時期の日本では、ロシアの文豪たちは異常な人気があった。ゲーテやトーマス・マン、ヘッセなどのドイツの作家たちやカントやニーチェといったドイツの哲学者の著作も学生の基本図書となっていた。世界文学・哲学を通して、文化の多様性を受容してきたのだと言える。

読書力は日本の含み資産

経済を国際的に評価する場合に、ファンダメンタルズという言葉がよく使われる。基礎条件といった意味だが、日本の経済にはこれまでの蓄積があり、下支えがあると評価されてきた。日本の文化だけでなく経済の評価の中に、日本人の読書力の高さがいわば含み資産として考えられているのではないだろうか。

日本の教育の高さが経済の評価に含み込まれて語られるのは通例だ。その教育の高さの現れの一つが、読書力だ。平均的な読書力の高さが、日本の情報処理能力や向学心の高さを対外的にも示してきた。しかし、現実的には、読書力は低下してきている。本を読む率は減ってきている。現在の五十代、六十代の人たちが大学生の頃に本を読んだ量と、現在の大学生が本を読んだ量とでは、前者の方が多い。

「日本は読書力が高い」という対外的なイメージが維持されている間に、読書力を復活させる必要があるのではないだろうか。私は日本の地盤沈下を食い止める最良の手だては、読書力の復活にあると考えている。読書は向学心そのものであり、向学心をよりいっそう加速させるものでもある。誰でもが高い読書力を持っている国は、潜在力があるし、迫力がある。情報処理能力もさることながら、読書を通じて自己形成をしていたり、読書を基礎にした高いコミュニケーション能力を培っていたりすることは、日本に対する長期的な評価を高めるものである。

このような対外評価の一例を紹介しておきたい。

「すでに述べたように、日本の場合は特殊である。「日いづる国」には、「強力な」読者が知られるかぎりもっとも高密度に集中している。これには近代的な出版産業、高度に整備され洗練された出版業が供給を行なっており、年間およそ四万種類、十五億冊の本が生産・印刷されている。出版社の数も約五〇〇〇企業にのぼる。

日本の読者は、たくさんの読書を行なう。それというのも、日本の読者の文化受容度は高く、書物文化から情報を得、また書物文化によって育成されることが義務と考えられているからなのである。この国ではまた、大学や学校の威信も絶対性を帯びている。」

（シャルティエ、カヴァッロ編『読むことの歴史』田村毅他訳、大修館書店）

the Book がないから Books が必要だった

日本人はこれまで高い読書力をキープしてきた。幅広い読書力を支えていたのは、何だったのだろうか。

明治維新以降を言えば、それは近代化の要請であった。急速に情報や思想を吸収しなければ、政治も経済も文化も危うい状況に日本はおかれていた。そこに立身出世主義や教養主義が相まって、読書を中核とした向学心の伝統が培われた。学校教育、とくに初等教育の読み書きの規律訓練が、読書力のベースを築いていたことも大きな要因だ。

このことに加えて、二一世紀を生きる私たちにとって、考えておいてよいポイントがある。

先頃、英米文学を中心とした古書店の下井草書店の店主さんと話していた際に、日本には聖書のような唯一絶対の本、すなわち the Book of Books がないから、たくさんの本を読む必要があった、という話が出てきた。これは、おもしろい観点だ。

唯一絶対の価値を持つ本があれば、場合によってはその本一冊を読めばよいことになる。しかし、そういった the Book と言われる特別な本がないとするならば、できるだけ多くの本、つまりBooksから、価値観や倫理観を吸収する必要がある。はっきりした宗教を共有している状況ならば、国民の基礎的な倫理観はそこで養成される。毎週教会に行って説教を聞くことによって、基本的な倫理観が培われる。

日本では、大量の読書が、いわば宗教による倫理教育の代わりをなしていたと言えるのではないだろうか。倫理観や志は、文化や経済の大元《おおもと》である。素晴らしいものをつくりたい、世の中をよくしたいといった強い思いが、文化や経済活動を活性化させる。その大元になるある種の倫理観や人間理解力を、日本人は多量の読書を通じて培ってきたと言える。唯一絶対のものを持たないが故に、それをいわば逆手にとって、雑多とも言えるほどの大量の読書を積極的に行ってきたのではないだろうか。

『声に出して読みたい日本語』(草思社)を出版したときに、読者カードの多くに、外国の詩の訳詩をもっと載せるべきだという意見があった。日本語の本に、上田敏のような名訳にせよ、外国の詩をもっと入れるべきだという意見が多数、とりわけ高齢者から寄せられるのは、日本人の読書の幅が広いことを示している。

the Bookにこだわらず、大量のBooksによって自己形成を図り、価値観を形成し、人間理解力をも身につけてきた歴史が日本にはある。しかも内外の本を積極的に読んできた。洋の東西のすぐれた知識を学ぼうとしてきた。多くの読書を推奨するのは別に日本ばかりではないが、聖書にあたる本がない事情は、より切実に多量の読書を推奨する背景となっている。

高い読書力が日本において倫理観や人間理解力の養成を下支えしていたとすると、現在の倫理観の低下といわれる現象は、読書力の低下と関係づけて考えられるのではないだろうか。現実的に言って、内容のある本をたくさん読んでいる人間は、ある程度の知性があると想定しうる。その知性の中には、物事に対する判断力や向学心、広い意味での倫理観といったものが含まれる。本を大量に読めば自己形成がすべて保証されるというわけではもちろんない。しかし、本から学び、そこからコミュニケーションが発展していく意味はとても大きい。

さて次章以降、自己形成としての読書をはじめとして、読書力について広く述べていきたい。

I

自分をつくる

―自己形成としての読書―

1　複雑さを共存させる幅広い読書

「本はなぜ読まなければいけないのか」という問いに対する私の答えは、まず何よりも「自分をつくる最良の方法だからだ」ということだ。

自分の世界観や価値観を形成し、自分自身の世界をつくっていく。こうした自己形成のプロセスは、楽しいものだ。しかし、この厳しくも楽しい自己形成を近年はばかにする傾向がある。とりわけ一九八〇年代以降は、その自己形成を軽んじる傾向が加速した。内容などはなくてもいい、まじめなのはくだらないといった風潮が蔓延した。その影響下で育った人たちは、真っ直ぐに自己形成の問題に向き合うことがしにくくなった。

しかし、自己形成の問題は、避けて通ることはできない問題だ。読書を通じてのまじめな自己形成などは必要がない、楽しければそれでいいといった風潮の中で見失われた自己形成のプロセスは、時に危うい宗教団体に求められた。

たしかに自己というものは、物のように確固たる固定的なものではない。しかし、経験と思考を積み重ねていくことによって、アイデンティティは重層的になり安定してくる。それがおよその傾向だ。オウム真理教事件の際に、優秀な理系のエリートたちが数多く入信していたことが話題になった。彼らはある種自己形成の問題を、思春期から青年期にかけて棚上げしてきたツケを、一気に神秘主義を通して払おうとしたのではないだろうか。読書にしても、幅広く読み続けていれば、オウム真理教の教義などは相対化することができるはずである。

読書の幅が狭いと、一つのものを絶対視するようになる。教養があるということは、幅広い読書をし、総合的な判断を下すことができるということだ。日の前の一つの神秘にすべて心を奪われ、冷静な判断ができなくなる者は、知性や教養があるとは言えない。

私は大学時代、神秘主義的な団体を調査したことがある。入信している人たちは決まって、あるところで思考停止をしていた。絶対的な価値観を一つ受け入れ、他を否定する思考パターンに陥っていた。読書の幅も限られていて、自分たちの教義に合致するものが選ばれ推奨された。それと食い違う場合には、憎むべき悪書として攻撃していた。

世界文学を幅広く読み、具体的な人間理解力を育てようとする傾向は見られなかった。ある種の哲学的問答には強くとも、いろいろなスタイルの人の生き方を味わうような寛容な態度は少なく、ある一定の生き方だけを模範とする傾向があった。

矛盾しあう複雑なものを心の中に共存させること。読書で培われるのは、この複雑さの共存だ。自己が一枚岩ならば壊れやすい。しかし、複雑さを共存させながら、徐々にらせん状にレベルアップしていく。それは、強靭な自己となる。

思考停止するから強いのではない。それは堅くもろい自己のあり方だ。思考停止せず、他者をどんどん受け入れていく柔らかさ。これが読書で培われる強靭な自己のあり方だ。

2　ビルドゥング(自己形成としての教養)

教養という言葉は、ビルドゥングというドイツ語を元にしている。ドイツ語のビルドゥングには、自己形成というニュアンスが色濃く入っている。日本では教養というと、今は幅広い文化的な知識のことをさすが、自己形成のための教養という考え方が幅広く共有されていた時代があった。とりわけ大正時代に教養主義といわれる風潮が旧制高校生を中心として隆盛していた。

教養主義の代表的なものは、大正三年刊行の阿部次郎『三太郎の日記』、大正六年の倉田百三『出家とその弟子』、大正八年の和辻哲郎『古寺巡礼』、大正十年の倉田百三『愛と認識との出発』、西田幾多郎『善の研究』(復刊)といったものだ。私自身は、一九六〇年生まれなので、旧制高校生でも何でもないが、これらの教養主義の古典ともいうべき著作に、十代の終わりにはまりこんだ。そこには人格を形成していく前向きな気持ちと幅広い文化的教養へのあこがれがミックスされていた。
トルストイやドストエフスキーやゲーテ、カント、ニーチェなど、文学と哲学を中心として、人格形成に大きな影響のある書物が当然の教養として位置づけられているのが、教養主義であった。基本的な本を読んでいないことは恥ずかしいという意識が学生同士のテンションを高くしていた。現在の日本では、何かを知らないということは、恥にはならなくなってきている。

本当は恥と感じて勉強をする方がお互いに伸びるのだが、「知らなくたって別にいいじゃない」という安易な方向に皆が向かうことで、総合的なテンションが落ちている。大学時代、友人と話していて知らない本の話が当たり前のように出てきたときに、当然知っているかのように話を合わせておいて、あとであわてて読むという、けなげな努力を私もよくした。そうしていると、その集団の中で一番高いものに皆が合わせるようになっていく。それぞれが無理をして気を張り合っているので、読書は加速する。

教養主義は、旧制高校という日本の知的なエリート層を中心として受容されたものだが、旧制高校生だけではなく、当時の若者にそれよりは薄い形にせよ影響を与えていた。

本を自己形成のために読むという前提は、文化としてかなりの程度共有されていたと言える。昭和に入り、マルクス主義の台頭とともに教養主義は批判を受ける。しかし、マルクス主義を信奉する者たちも、読書自体を否定したわけでは全くない。マルクス主義を学習することと西欧の古典を読むことは、必ずしも矛盾はしなかった。自己を形成し、社会をよりよい方へと変革していく志に燃えて読書をする。マルクス主義を身につけるべき常識としての教養であったと見れば、読書による教養の積み重ねを重視する態度自体は、昭和に入っても持続していたと言える。

教養主義の明確な衰退傾向は、昭和四十年代の後半から五十年代にかけて、一九七〇年以降である。このあたりの変化に関しては、詳しくは筒井清忠『日本型「教養」の運命』(岩波書店)に譲るが、読書よりもマンガや音楽、スポーツ、車などについての雑誌情報が影響力を持ち始めた。サブカルチャーと呼ばれる古典からは外れた軽いエンターテインメント文化を知っている方が、若者にとっては大事なこととされていった。

昭和五十五(一九八〇)年以降、テレビ界や広告界の常識が一般に広まり、難しいものよりは軽いもの、中身よりは売り方といった価値観が広まった。ブランド志向が若い人たちに広まったのもこの頃だ。古典とされる教養書を読み自己形成をすることはダサイこととされ、ブランドものを持ち、しゃれた店を知っていることがモテる基準となっていった。

それに並行してバブル経済時には、まじめに働くよりもうまく立ち回って土地や株、金を動かす方が、手っ取り早く財産が増えるという風潮が社会に蔓延した。この社会的な雰囲気の中では、落ち着いた読書による自己形成は、正当な居場所を見つけられにくかった。

欧米の大学生と比べて読書量に大きな差がついてしまったのは、この頃ではないだろうか。アメリカでは、高校まではそれほどの読書量でなくとも、大学に入ると急激に多量の読書を要求される。日本の大学でも、レポートを書くときなどに課題図書が設定されることもあるが、現実に大学生に接していると、さして本を読まなくても大学は通過できるところになっている。読書習慣をまったく身につけなくとも卒業できてしまうのである。これでは高等教育機関として大きく差がつくのも無理はない。

大学生が本を読まなくなったと指摘されて、すでに久しい。日本のような資源を持たない国では、教育こそが資源だ。大学生が読書力をもたないということは、日本の確実な地盤沈下を意味する。大学生における教養主義が衰退したこの二十五年間ほどの気のゆるみが、現在の日本の苦しい状況の要因になっている。

3 「一人になる」時間の楽しさを知る

一人の静かな時間は、人を育てる。

人と楽しくコミュニケーションをする中でももちろん人間性は養われるが、一人きりになって静かに自分と向き合う時間も、自己形成には必要だ。音楽を聴きながらボーっと一人でいる時間も楽しい。

しかし読書は、一定の精神の緊張を伴う。この適度の緊張感が充実感を生む。読書は、一人のようで一人ではない。本を書いている人との二人の時間である。著者は目の前にいるわけではないので、必要以上のプレッシャーはない。しかし、深く静かに語りかけてくる。優れた人の選び抜かれた言葉を、自分ひとりで味わう時間。この時間に育つものは、計り知れない。読書好きの人はこの一人で読書する時間の豊かさを知っている。

インターネットの隆盛に伴って、すべてを情報として見る見方がいっそう進むであろう。素早く自分に必要な情報を切り取り、総合する力は、これからの社会には不可欠な力である。しかし、何かに使うためには断片的な情報を処理し総合するというだけでは、人間性は十分には培われ得ない。

人間の総合的な成長は、優れた人間との対話を通じて育まれる。身の回りに優れた人がいるとは限らない。しかし、本ならば、現在生きていない人でも、優れた人の話を聞くことができる。優れた人との出会いが、向上心を刺激し、人間性を高める。

読書力さえあれば、あらゆる分野の優れた人の話を落ち着いて聞くことができる。実際に面と向かって話を聞く場合よりも、集中力が必要だ。言葉の理解がすべてになるので、緊張感を保たなければ読書は続けられない。自分から積極的に意味を理解しようとする姿勢がなければ、読書にはならない。読書の習慣は、人に対して積極的に向かう構えを培うものだ。

4　自分と向き合う厳しさとしての読書

「自分は本当に何をしたいのか」、「自分は向上しているのか」といった問いを自分自身に向けるのは、時に辛《つら》いことだ。自分自身が何者であるかを内側に向かって追求していくだけでは、自己を培うことは難しい。タマネギの皮を剝くように、いくら剝いていっても何もなかったという気持ちに襲われることもある。読書の場合は、優れた相手との出会いがあり、細かな思考内容までが自分の内側に入ってくる。

自分自身の内側だけを見つめているのでは到底見えてこない世界に開かれるのが、読書のおもしろさだ。言葉の力は、それを発した人間と完全には切り離せない。情報だけではさしたる影響力を持たない場合でも、その言葉が誰か知っている人の言葉であれば、別の生きた意味を持ってくる。何でもない言葉でもシェイクスピアのセリフだと聞けば、とたんにすごみを増してくる。

誰のものともわからない言葉よりも、本という形で著者がまとまった考えを述べてくれている言葉の方が、深く心に入ってきやすい。一人の著者の考え方に慣れて、次々に同じ著者の著作を読むのも、ある時期の読書としては効果的だ。そのことで読書が人との対話の時間になりうるのだということを知ることになる。

一日のうちで、自分と向き合う時間が何もないという過ごし方もできる。テレビを見ている時間が、典型的にそれだ。テレビの娯楽番組を見ていれば、自分に向き合う必要もないし、テレビはそのような隙も与えない。自分と向き合うことを主題としたテレビ番組は多くない。テレビは、自分の外側の問題に興味を喚起させる力はあるが、自分自身と向き合う時間はつくりにくい媒体だ。

テレビの時間は、テレビをつくる側が管理している。どのようなテンポでどんな情報を組み合わせれば視聴者が退屈しないのかを計算しながら時間の流れをつくっている。読書の場合は、読書の速度を決めるのは、主に読者の方だ。途中で休んでもいいし、速いスピードで読みつづけてもいい。読書の時間は、読者の側がコントロールしているのである。

本のおもしろさは、一人の著者がまとまった考えを述べているにもかかわらず、言葉がその著者の身体からは一度切り離されているところにある。たとえば吉田兼好の『徒然草』を読む。兼好の身体はとうにこの世にはない。しかし、言葉は残っている。兼好の見事な論理と表現は、何百年の時を超えて、感情のひだをも伝えるようにこちらの胸に迫ってくる。

外国の著者の場合は、いっそうその感が強い。私はゲーテが好きで、ゲーテを自分のおじさんのようにも感じている。しかし、ゲーテと私とは時も場所も離れた関係にある。こちらから積極的に本を読まなければ、向こうからは来てはくれない。訪ねていって話を聴く。そうしたゲーテの家の「門を叩く」という構えがなければ、出会いが起きない。

時と場所が離れた人間と出会うということは、ふだんのコミュニケーションとは違う楽しい緊張感を味わわせてくれる。

5　単独者として門を叩く

私は自分の大学でのゼミの案内に、「単独者として門を叩くこと」という言葉を掲げている。要するに、つるんで来るなということだが、単独者になるのは意外に難しい。読書をたくさんしている者ほど、単独者となりやすい。自分自身の世界を持っているからだ。読書は元来、著者との一対一の空間で行われる。みんなで読み合わせをすることもあるが、現代の読書では、一人が基本である。

優れた先行者に自分から出かけていって門を叩き話を聴く。この訓練が読書を通じてなされている。友だちとつるんでゼミを取るという消極的な姿勢では、どんな知識も生きてはこない。自分から歩いて行って門を叩くからこそ、言葉は身にしみ込む。

「本屋に行って自分の身銭《みぜに》を切って買え」と学生には言う。それは身銭を切ることで、言葉がからだに染み込む構えができやすいからだ。買うという行為に、決断や思いの深さも関わる。本屋に行けばすぐに手に入る本を、図書館から借りているようでは見込みがない。「身銭を切る」ことが、単独者として門を叩くことにつながっている。一対一で先生と向かい合っているという気持ちが、勉強の効果を上げる。それは何百人の教室でも、基本的には同じことだ。

私は予備校時代や大学時代、優れた先生の授業は、自分ひとりに向かって語りかけてくれているのだと思いながら聴いていた。もちろん話を聴きながら、学生たちみんなで笑ったりするのは楽しい。そうした連帯感も当然ある。しかし、言葉が深く入る瞬間には、一対一の勝負としてイメージしている。勝ち負けということではなく、真剣勝負で向き合うときの緊張感をもって話を聴くということだ。

本を読むのにも、そのような単独者として門を叩き、先生の話を聴くという気持ちが基本的にあった。私は本に線を引くし、書き込みもする。初版本であるかどうかなどにはまったくこだわらない。本を物としてあがめるというタイプではないが、しかしそれでも本を踏むことは心理的にできない。本を枕にして寝ると、本の内容が頭に入ってくる気がするので、何気なくやってしまうことはある。しかし、あまりに散らかっている部屋の中で雑誌を踏んでしまうことはあっても、本を踏むことはできない。書籍には、雑誌にはない著者の生命と尊厳が込められているように感じているからだ。

本は物でしかないという考え方も、もちろんある。しかし、本を著者そのものだと思う気持ちは、その本の効果を格段に高める。その著者と一対一で過ごした時間は、自分の人生にとって貴重なものとなっている。読書は、優れた他者との出会いの経験となる。

6　言葉を知る

あまりにも当たり前なことかもしれないが、考えることは、言葉で行う行為だ。一人で考え事をしているときも、言葉で基本的には考えている。言葉の種類が少なければ、自然と思考は粗雑にならざるを得ない。考えるということを支えているのは、言葉の豊富さである。

話し言葉の種類は限られている。日常を過ごすだけならそれほど難しい言葉は必要ない。しかし、その日常の話し言葉だけで思考しようとすれば、どうしても思考自体が単純になってしまう。表現する言葉が単純であれば、思考の内容も単純になっていってしまう。逆にいろいろな言葉を知っていることによって、感情や思考自体が複雑で緻密なものになっていく。これが書き言葉の効用である。書き言葉には、話し言葉にはないヴァリエーションがある。

言葉をたくさん知るためには、読書は最良の方法である。なぜ読書をした方がよいのかという問いに対して、「言葉を多く知ることができるからだ」という答えは、シンプルなようだがまっとうな答えだ。

7　自分の本棚を持つ喜び

しばらく前に、「自分探し」という言葉が流行したが、私にとっては「自分をつくる」という表現の方がしっくりくる。外のどこかに自分を探しに行くというよりは、経験を蓄積し積み上げていくというイメージの方が、自己イメージに近い。もちろん、二つの表現の言わんとしていることには共通点もある。それは、出会いが人をつくるということだ。

自己や自分というものは、自分ひとりでつくるものではない。他者との関係の中でつくられていくものだ。唯一絶対の自己というよりは、関係の網の目の中で、様々な側面が形づくられていく。小説や映画でヒットした『羊たちの沈黙』のモデルとなった捜査官が書いた『FBI心理分析官』(ハヤカワ文庫)は、異常殺人者たちの素顔に迫った手記だが、そこでは、そのような殺人者たちには他者との関係が取れていない共通点があると書かれている。他者といい関係を築いていくことができれば、そこまでの異常殺人を起こすことはないだろう、と著者のレスラーは言う。

読書は、もちろん知性や情感を磨くものでもあるが、同時に、複数の優れた他者を自分の中にすまわせることでもある。情報を手に入れることだけが、読書の主目的ではない。

生身の人間の価値観を自分の中に取り入れ、自分の幅を広げていく。凝り固まった狭い考えに閉じこもらずに、優れた人間の価値観を様々に受け入れる。そうした作業を地道に続けることで、社会常識から隔絶した孤立的な空想に陥ることを防ぐことができる。もちろん本によっては、犯罪につながるような空想を喚起するようなものもある。その意味では、本にまったく毒がないとは言い切れない。自殺の仕方や殺人の仕方までを書いた本が出ているくらいだ。しかし、ここで強調したい読書は、そのような種類の本のことではない。十分幅広い読書をしていれば、そのような本を絶対視することも少なくなる。

その意味では、種類の違う複数の本を幅広く読みつづけることが重要だ。本棚を見ればその人がわかる、と言われることがある。その人自身の考えを直接聞くよりも、読んできた本のラインナップを眺めさせてもらえれば、およその見当がつく。友達を見ればその人がわかるといったことと同じような意味だ。

自分の本棚を持つのは楽しい。自分の世界が広がっていく様子が手に取るようにわかるからだ。音楽に関しては、好きな音楽CDが自分の棚に並んでいく喜びは、多くの若い人が知っている。しかし現在、自分の本棚を持っていない人も多い。ここで本棚としてイメージしているのは、横が一メートルほどで、縦が六段ほど入る本棚のことだ。一家四人であれば、少なくとも四つの大きな本棚が各人用にあってしかるべきだ。

自分の今まで読んできた本が見渡せるというのは、非常な喜びだ。過去の自分と現在の自分が、そこでは繋がり合っている。自分の本棚には、自分が過ごしてきた読書の時間が詰め込まれている。優れた著者との出会いが、これまでの自分の人生が有意義であったことを、自分に知らせてくれる。

優れた著者の本を読んでいるときの自分は、自分でも肯定しやすい。自分を肯定する自己肯定感は、自分自身に向き合うときよりも、何か素晴らしいものに向かっているときに感じやすい。好きな音楽を聴いているときの自分を好きだというのも、自己肯定感の一つではある。しかし、読書の場合は、自分がより積極的にエネルギーをかけなければいけない行為だ。そうして出会えた人物との時間は、苦労して得たものだけに、自分でも充実感がある。

本は単数よりも複数の方が威力が増す。私は高校生の頃、自分のベッドの枕元の棚に本が一冊ずつ増えていくのを見るのが好きだった。その頃は、まだ本棚に至る前の段階だった。ブックエンドに一冊ずつ挟んでいくのだ。当時は、本は読みきらなければいけないものと思っていたので、読み切った充実感が一冊一冊に詰め込まれていって、眺めているといとおしくなった。

本来は過ぎ去って跡形もなく消え去っていってしまう砂のような時間が、しっかりと本という形でそこに凝縮されて残っている。その安定感がうれしかった。

8　繋がりながらずれていく読書

本は、本の連鎖を生む。一冊読むと次に読みたくなる本が出てくる。それが読書のおもしろさだ。たとえば高校時代に私は、夏目漱石の『三四郎』を読んだ。すると、三四郎に続いて、三部作といわれる『それから』と『門』を読みたくなった。主人公の名前は違っているのだが、どこか連続性が感じられる。

小林秀雄はかつて、全集を読むことを勧めていた。トルストイならトルストイの全集を読んでみると、いいものも悪いものもある。しかし、それらを全部含めて読んでみたときに、トルストイという人間の全体が自分の中に入ってくる。文は人なりというのはそういう意味だ、といったような意味の文章であった。

同じ著者の本を何冊も読んでいると、無駄も多いようにも思うが、実はその著者を深く自分の中に引き入れる良い方法となっている。顔をいろいろな角度から写真に撮ってみた方が、一つの角度よりは実際の顔のイメージに近づく。本の場合も、何冊かを読むことによって、著者の人格や考え方が染み込んでくる。そうなると、本を読むという行為は、恩師の話を聴くようなイメージとなる。

自分の尊敬する著者がいいと薦めている本は、読みたくなるものだ。まったく縁もゆかりもない本を読むのはつらい。しかし、自分が好きな本の中に出てきた本は、すでに縁ができている。たとえば、好きになった坂口安吾が小林秀雄や太宰治について書いてあると、ついその二人の本も読みたくなってくる。

一人の著者がきっかけで、本の網の目がどんどん広がっていく。関心も微妙にずれて広がりを持っていく。これが世界観の形成に役立つ。一人の著者だけを偏愛しているのでは、世界観の形成には限界がある。

うまくずらしながら増幅させていくのが、自分をつくる読書のコツだ。

9　本は背表紙が大事

本は内容が大事だと思う人が多いだろう。しかし、背表紙が一番大事だという考え方もある。

自分の部屋に本が並んでいる。読んだことのない本も混じっている。しかし、そこに背表紙が見えているだけで刺激がある。読んだことがないと言っても、買って部屋に置いてあるくらいだから、どのような本かくらいはわかっている。そこに本という形で著者が存在している感じがする。

全集の場合はわかりやすい。全集を一巻から最終巻まですべて読む人は、ほとんどいない。しかし、全集を持っていることには意味がある。大変な場所をとって、圧力をかけてくるのだ。

たとえば、私の本棚を見てみると、柳田國男や宮沢賢治、フロイト、ゲーテやニーチェ、ヴァレリーやシェイクスピアたちが、狭い部屋の中で非常識とも言えるスペースをとって、私の方に迫ってきている。まるで自分たちを忘れては仕事はできんぞとでも言わんばかりに、存在感を示している。常に意識しているというわけではないが、ぼんやりと壁を見ていると（壁はすべて本棚で埋め尽くされているので）、本の背表紙が自然に目に入ってきてしまう。

本は借りるものではなく買って読むものだという私の信念は、この背表紙にある。せっかく読んだのにその経験が、本がなくなれば思い返しにくくなるからだ。本を読んだこと自体を思い出しにくくなる。脳の働きは、常に活性化させておくのは難しい。だから、本の背表紙を眺めることによってテンションを高めるのは悪くない方法だ。読んだ本も読んでいない本も、部屋に長く置いてあれば自分の本になってくる。自分の世界のマップが、本棚として見えてくる。

したがって、本を二重に置くのはあまりいいことではない。私はあまりに仕方なくこれをやらざるを得なくなっているのだが、単行本を後ろにして文庫を前にするなどの工夫が必要だ。というのは、「探せばある」ということと、「自然に目に入ってくる」ということの間には大きな開きがあるからだ。

インスピレーションは、霊気や発想を吹き込まれるということだ。ぼんやりと見ているときにふっと思うことがある。意識的に探すのとは違う働きが、本の背表紙からのインスピレーションにはある。

背表紙のラインナップを充実させるためにも、本は基本的に借りるものではなく買うものだ。

10　本は並べ方が大事

本は、ラインナップが大事だ。私の場合、現在は本が多すぎて錯乱しているが、基本的に本を並べ替えるのは好きだ。読み終えた順に並べていくのも悪くはないが、本と本の間の関係を自分で決めて並べ替えていく作業はもっと楽しい。

整理整頓だけが目的ではないのだから、ジャンル別に分けるのがよいとは限らない。むしろ私は違うジャンルの本を内的な繋がりを考慮して並べるのが好きだ。たとえば、スピードスケートの清水宏保の言葉が綴られた本（『神の肉体 清水宏保』吉井妙子著、新潮社）は、ゲーテの言葉を伝えるエッカーマン『ゲーテとの対話』（岩波文庫）の隣に置きたくなる。ゲーテの言っている上達論が、清水と通じるものがあるからだ。

ただ単に本の内容だけではなく、自分との距離感で並べ替えるのも楽しい。自分自身がその著者とどのような関係にあるのかを考えていくと、グループ分けは変わってくる。

たとえば、フロイトとユングは精神分析という大きな流れの中では同じグループにふつうは入れられる。しかし、二人のタイプ、スタイルは相当異なる。二人を同じ程度に両方好きだという人の方が、むしろ少ないのではないだろうか。ユングの周りにはフロイトではなく、古代の神話や錬金術の本を置いた方がしっくりくる。

精神医学者の中井久夫は、素晴らしいエッセーも書く日本を代表する読書人であり教養人であるが、次のような文章を書いている。

「この間、私の書籍の大部分は梱包されたままであった。約三分の一を書棚に並べたものの、しばしば重要な片われが箱の中に残った。赴任後六年にして、私は根がほとんど尽き果てようとしていた。フロイトの著作の隣りにはまちがってもユングではなくむろんアードラーでなく必ずアブラハムが来なければ気が狂う私である。引越しに際してファイリング・キャビネットの中こそ無事であるが、本の並び方が顧慮されることは決してない。そして私によれば本は並べ方が九割なのである。」(『治療文化論』岩波同時代ライブラリー版「あとがき」より)

私が言いたいのは、本の几帳面《きちょうめん》な整理ということではなく、「系譜の意識」をはっきりさせるということだ。系譜とは、本と本との間の血統のようなものだ。著者同士に直接的な影響があったかどうかは別に構わない。読者である自分から見て、この著者とこの著者はスタイルが似ているのではないかと感じれば、それを系譜として見ることにする。

本と本とを結びつけて考える習慣が、読書力を格段に高める。読む本の幅を広げ、本の内容を定着させやすくするのである。孤立したものは覚えにくい。関係や連想の中で、記憶は強化される。本を選ぶときにも、こうした流れの中で探していけば、ハズレが少なくなる。

事情を知らない人が見ればめちゃくちゃな配列なのに、当人の中ではいろいろな本がつながっているということになると、その本棚は、その人の世界観を表すものと言える。書店のラインナップとは違う自分独自のラインナップをつくっていく作業は楽しいものだ。

11　図書館はマップづくりの場所

私は、本は基本的に買うことにしているので、図書館で借りることの方が少ない。しかし、図書館にも大きな効用がある。その最も大事なものは、マップをつくるということだ。図書館には実に様々な本がある。しかも、上手に分類されている。型どおりの分類かもしれないが、読書の初心者には、本の世界がどのような広がりをもっているのかを把握するには効率がいい。

私は今でも、小学校の図書館の本棚や大学の図書館の本棚の一部をぼんやりイメージすることができる。たとえ読んだことがなくても、本棚の配置や背表紙を覚えている。手で触って開いてみただけでも馴染む。本棚の場所で覚えて、自分の心の中にすまわせる作業が、図書館ではしやすい。

著者名を知るだけでも大きな効用がある。一番大きな効用は、自分よりも教養や知識のある人と話がしやすくなるということだ。たとえば、ハイデガーやフッサールやメルロ＝ポンティといった哲学者について、深く知るのには時間がかかる。しかし、よく知っている人から話を聞くと、意外にすっと入ってきたりする。よく知っている人から話を聞くためにも、その著者の名前と代表作くらいは知っている必要がある。名前も知らない人に丁寧に解説してくれるのは、職業的な教師だけだ。名前が出たときに、「ああ、あの人ね」というふうに相槌《あいづち》を打てるだけでも、相手の話す気持ちは高められる。

私はパリに観光で二週間ほどいたことがある。東京ではよく方向音痴になるくせに、パリではほとんど地理的に混乱しなかった。というのも、はじめにインフォメーションセンターでパリの地図をもらい、それを常に携帯して頭の中に入れていたからだ。知らない街だから油断せずにマップを頭の中につくっていった。地図をもってまずエッフェル塔に上り、およその空間を把握した。それと同時に、地下鉄網を把握した。その上、パリという街では、小さな通りにもしっかりと名前がついている。五十二号というような機械的な名前ではなく、人物名のような覚えやすい名前がついている。これだけのマップづくりができていると、どこへ行くのにも不安がないので、どんどん動き回ることができる。

知的な世界も同じことだ。パリの地図をもらうのと、図書館の本棚を把握するのは同じことだ。歩き回って時々手に取ってみるだけで、徐々に知的世界のマッピングができる。

そのうえ図書館は、普通の書店と違い、品切れ本に強い。現在日本の出版界では、品切れが非常に速く起こっている。大出版社の大きなシリーズでも、品切れは多い。古本屋や図書館には、品切れ状態のいい本を見る利点がある。

この知的な世界のマップづくりは、高校の終わりから大学の一、二年生でやっておくのが一番効果的である。その時期に馴染んでおけば、三十代、四十代になって、改めていろいろな分野の本を読もうとしても、抵抗感が少ない。

ちなみに私が本は買って読むものだと繰り返すのは、読書文化が出版文化と結びついているからだ。売れない本は、どんないい本でも品切れ、絶版になっていく運命にある。本の善し悪しと売れる売れないは直接の関係がない。素晴らしい本が次々に品切れになっている。本を読む力のない人が増えれば、濃い内容の硬い本が売れなくなる。すると、そのような本は品切れになるばかりか、そもそも出版させてもらえなくなる。

「積《つ》ん読《どく》のすすめ」ということがかつてはいわれた。それは、買って積んであるだけでも多少の勉強にはなるということだが、もう一つのねらいは、皆が自分が読める以上の本をたくさん買うことによって、出版界がいい本を維持できるからだ。ここでもう一度読書ブームを沸き起こし、出版文化＝読書文化の復調を望みたい。

12　経験を確認する

読書を必要ないとする意見の根拠として、読書をするよりも体験することが大事だという論がある。これは、根拠のない論だ。体験することは、読書することとまったく矛盾しない。本を読む習慣を持っている人間が多くの体験をすることは、まったく難しくはない。むしろいろいろな体験をする動機づけを読書から得ることがある。

たとえば、藤原新也のアジア放浪の本（『印度放浪』朝日新聞社、など）を読んで、アジアを旅したくなる若者がいる。本に誘われて旅をするというのはよくあることだ。あるいは考古学の本を読み、実際に遺跡掘りの手伝いに行く者もある。読書がきっかけとなって体験する世界は広がってくる。

それ以上に重要なことは、読書を通じて、自分の体験の意味が確認されるということだ。本を読んでいて「自分と同じ考えの人がここにもいた」という気持ちを味わうことは多い。まったく生まれも育ちも違うのに、同じ考えを持っている人に出会うと、自分の考えが肯定される気がする。自分ではぼんやりとしかわからなかった自分の体験の意味が、読書によってはっきりとすることがある。「あれはこういう意味だったのか」と腑《ふ》に落ちることが、私は読書を通じてたくさんあった。

暗黙知という言葉がある。自分ではなかなか意識化できないが、意識下や身体ではわかっているという種類の知だ。言語化しにくいけれども何となくからだでわかっているような事柄は、私たちの生活には数多い。むしろそうした暗黙知や身体知が、氷山でいうと水面の下に巨大にあり、その氷山の一角が明確に言語化されて表面に出ている、という方がリアリティに即しているだろう。本を読むことで、この暗黙知や身体知の世界が、はっきりと浮かび上がってくる。自分では言葉にして表現しにくかった事柄が、優れた著者の言葉によってはっきりと言語化される。こうした文章を読むと共感を覚え、線を引きたくなる。

「自分ひとりの経験ではなかったのだ」という思いが、自分の生を勇気づける。自分をつくっていくためには、現在の自己を否定して、より高次の自分へと進んでいくことももちろん必要だが、私の実感では、自分を肯定してくれる者に出会うことによって、すっきりと次に進むことができるように思う。体験すること自体が重要なのではなく、その体験の意味をしっかりと自分自身でつかまえ、その経験を次に生かしていくことが重要なのだ。体験の意味を深め、経験としていく。その積み重ねに、本は役立つ。優れた著者が自分と同じ経験や意見を述べてくれていると、安心して自分を肯定できる。自分に都合のいい著者ばかりを選んで読むというのは、狭い読書の仕方のように思われるかもしれないが、読書をし始めた頃はとくに、共感を持って読める本の方が加速する。

読んでいると「そうそう、自分も実はそう考えていた」と思うことがよくあるが、多くの場合、そこまで明確に考えていたわけではない。言われてみると、それまで自分も同じことを考えていたと感じるということだ。しかし、この錯覚は問題ない。あたかも自分が書いた文章のように他の人の書いたものを読むことができるというのは、幸福なことだ。

なぜこの著者はこんなにも自分と同じような感覚を持っているのだろうか、あるいは、まさにこれは自分が書いたもののようだと感じることさえ、私の場合あった。自分の経験と著者の経験、自分の脳と著者の脳とが混じり合ってしまう感覚。

これが、読書の醍醐味だ。これは自分を見失うということではない。一度自分と他者との間に本質的な事柄を共有するというのが、アイデンティティ形成の重要なポイントだ。自分ひとりに閉じて内部で循環するだけでは、アイデンティティは形成されない。他者と本質的な部分を共有しつつ、自己の一貫性をもつ。これがアイデンティティ形成のコツだ。

読書は、自分の経験を確認しやすい行為だ。すでに言葉として紙の上に定着している言葉は、生まれては消えていく体験に形を与える。「自分に引きつけて読む」という読み方は、客観的とは言えないが、読書のある時期には必要なことでもある。自分の生き方を肯定してくれるような著者を探し、自分自身を勇気づけていくことは、自己形成のプロセスとして有効だ。危険なのは、それが一人に限定して狭くなってしまう場合などである。何人もの著者を自分の経験を確認させてくれる人として持つことができれば、狭い思いこみも徐々に広げられていく。ある程度わかっているつもりのことでも、はっきりと文字にして表現されることで、確認をすることができる。認識を定着させていく上で、読書による経験の確認は、意外に大きな意味を持っている。

13　辛い経験を乗り越える

生きる力は、自分を肯定するところから生まれてくる。少年院関係者の話によると、少年犯罪を起こす者のほとんどが、幼い頃からあまりほめられた経験がないということである。ほめられるということは、自己を他者から肯定されるということだ。肯定が積み重なれば、自分がこの世に存在することに自信を持つことができる。

それが生の活力になる。自分と同じ経験、同じ考えを持つ著者と巡り会うことで、肯定されるだけでなく、自分よりも辛《つら》い経験が書かれている本を読むことで、落ち着いて自分を見直すこともある。

たとえば、失恋をするとか、親しい人を亡くすとか、試験に落ちるといった辛い経験をしたとする。それと同じような経験をもっと悲惨な形で経験した者の本を読むと、自分の経験などは大したことはなかったんだと慰められる。自分の経験を唯一絶対のものだと思う気持ちから離れることができる。

「自分だけが悲惨なのだ。周りの者は自分のような境遇はわかりはしない」と、周りの狭い世界だけを見て決めつけると、精神的に追い込まれてくる。自分と同じどころか、より辛い運命にさらされた人がいる、そして、それを乗り越えて生きているということを知るだけで、活力が湧いてくる。

私は、高史明の『生きることの意味』(ちくま文庫)を読むと、辛い気持ちになる一方で元気が湧く。もっと極端な例を出せば、フランクルの『夜と霧』(みすず書房)を読んだときは、自分のそれまでの辛い経験などがすべて吹っ飛んだ気がした。ユダヤ人であるために強制収容所に入れられ、死の直前まで追い込まれたフランクルが、希望を見失わずに生きる意味と活力を見出し続けた記録が、この本だ。その極限状況に比べれば、自分の不幸や不運などは取るに足らないことだと素直に思えた。『わがいのち月明に燃ゆ』(林尹夫著、ちくま文庫)、『きけ わだつみのこえ』(岩波文庫)などの学徒出陣を描いたものも同様だ。死に向かいつつもなおかつ勉強し続けるその姿勢に鼓舞され、勇気づけられた。

単純に慰められたり、優越感を持ったりといった感情ではない。むしろ彼らの大きな経験の中に自分の経験を溶かし込み、自分の経験の意味をいわば昇華させるのである。自分自身が収容所に入れられたわけでも、学徒出陣をしたわけでもないが、そうした境遇のかけらでも自分のからだの中に入れるという感覚だ。

自分の体験や経験を絶対の根拠としたがる傾向が、読書嫌いの人には時々見受けられる。こうした自己の体験至上主義は、狭い了見を生む。

経験していないことでも私たちは力にすることができる。自分の中に微《わず》かにでも共通した経験があれば、想像力の力を借りて、より大きな経験世界へ自分を潜らせることができる。自分の狭い世界に閉じこもって意固地《いこじ》になったり、自分の不幸に心をすべて奪われたりする、そうした狭さを打ち砕く強さを読書は持っている。

14　人間劇場

読書は人間の幅を広げ、器を大きくする。それは、優れた他者を数多く自分の心に持つということだ。いや、優れた他者ばかりとは限らない。ドストエフスキーの長編小説に出てくるような、とんでもない小心者やうそつき、ヒステリーや好色な人物。こうした極端な人々を知ることも、読書の大きな楽しみの一つだ。本に出てくる様々な人々は、キャラクターがはっきりしている。極端とも思えるほど、自分のスタイルを持っている。日常接する人間は、これに比べれば普通に見えてくる。それほど、とくに小説や伝記に描かれる人物群は強烈だ。

読書はコミュニケーション力を育てる。これは、第Ⅲ章の主題だが、人間の極端なスタイルをあれこれと読書を通して知っておくことは、コミュニケーションの幅を広げてくれる。日常ではどうしても自分と同レベルや同種類の人間とつき合いがちだ。その方が負担が少ないからだ。しかし、人生の醍醐味は、自分と異なる者とのつき合いからも豊かに生まれる。現実の人間とのつき合いの世界だけでは味わうことのできない、強烈な人間とのつき合いが本の世界ではできる。

本に出てくる人間はどれほど強烈であっても、直接に危害を加えてくるわけではない。余裕をもって対することができる。そうした強烈な人物類型が心の中にいくつかできてくると、現実の人間は、その類型の組み合わせで理解しやすくなる。それだけ幅広い人物像を受け入れやすくなるということだ。

私が『人間劇場』(新潮社)という著書で提示したかったのは、多様な人間像を読書を通して受け入れる楽しさだ。世界が劇場のように見えてくる、そんな人間像の味わいは、それを味わうことのできる味覚も必要とする。現実社会で直接つき合えば変なヤツや嫌なヤツ、あるいは癖の強いヤツとしか見えない相手でも、上手に描写された文章を読むと、味わい方がわかってくる。

自己は、自分を内省的に見つめることによっても鍛えられるが、出会いによってつくられるものでもある。出会いは、多様で強烈であるほど、自分に深みや懐の深さができてくる。現実の人間であまりに強烈な人物に出会うと、過度に傾倒しすぎて深みにはまってしまうこともある。深みにはまっても抜けだし、自分をグレードアップさせる機会とすることができれば問題はない。そのようなタフさを身につけるためにも、読書によるいわばイメージトレーニングは有効だ。

様々な人間像を、読書を通じて事前に知っておくことによって、現実に対してタフになれる。自分とは違う感性や考え方の持ち主に出会っても、いきなり拒否するのではなく、じっくりとつき合うことのできる器の大きさ。こうした素地が、読書を通じて養われる。

この世を舞台と見、世の人々を役者と見る『人間劇場』的観点を「技」にすると、人間の味わい方が深まってくる。

15　読書自体が体験となる読書

体験と読書を対立させて考え、体験の重要さを強調する立場に対して、先ほど異論を唱えた。実体験至上主義は、経験世界を狭くする。実体験の前に読書をしていることは、体験の質を低くするどころか高くするものだと私は考えている。先入見なしに物事に向かうといえば聞こえはいいが、あまりに知識のない状態では物事の本質をまったく見逃してしまうことの方がむしろ多い。

音楽や絵画あるいは自然を味わうときでさえも、読書は有効に使うことができる。たとえば絵画に関する知識もなく、絵に全くの素手で向かうとすれば、何をどう味わえばいいのかがわからないというのが普通の人間だろう。センスだけですべてを把握し得るほど、芸術の歴史は浅くない。芸術家自身が歴史を背負って仕事をしている以上、その心の意味を読書を通して理解しておくことは、鑑賞する上でプラスに働く。

読書と体験の関係は、これに留まらない。ここで強調したいのは、読書をすることそれ自体が体験となる、そういう読書があるということだ。

私にとっては、十代の終わりにロマン・ロランの『ジャン・クリストフ』(岩波文庫)やドストエフスキーの『カラマーゾフの兄弟』(新潮文庫)を読んでいた時間は、それ自体が明確な体験であった。どちらも非常に長い小説なので、生活時間のかなりの部分を持続的に費やさなければ、読み通すことはできない。

『ジャン・クリストフ』の場合は、私は寝る前にベッドで読むことに決めていた。一日に五十頁程度しか読まないようにしていたので、一か月では読み通せなかった。現在の岩波文庫では、五百頁強の本が四冊分になっているが、私が読んだ当時は、もっと一冊の分量が少なく冊数が多かった。一体いつまで続くのだろうと思いながら、ゆっくりと味わっていた。途中からは終わるのが惜しくなり、あまり急いで読まないようにするほどだった。生活の中の一定の時間を必ず割いていくようになると、その読書自体が生活習慣として定着してくる。一日で読み終える強烈な読書もまた、体験と呼べるものではあるが、私の感触では、長編が毎日の生活の中で習慣として染み込んだときには、後から振り返ったときに、深い体験として感じられる。あの頃はあの本を読んでいたなあと思い返すのである。

『ジャン・クリストフ』がビルドゥングスロマン（自己形成小説）であったことも、そうした体験としての読書のイメージを強めるのに影響があるのかもしれない。主人公のジャン・クリストフが、まさに生まれてから死ぬまでの間の怒濤の運命を共に生きた気がする。読書時間が長かったことが、こうした小説世界への深い入り込みに役立っている。長編は入り込むのには気が重いが、一度はまりこんでしまうと、今度は抜け出すのが惜しくなる、そんな世界だ。

読書は、その読書をしていたときの時間と共にある。たまに外で本を読んでみると、その風景とともに、読書は内容が記憶される。『ジャン・クリストフ』が、一人暮らしのアパートでの寝る前の時間とともにあったとすると、私にとっての『カラマーゾフの兄弟』は、夏の信州の風と光の中にあった。ロシアの小説を読む環境としては実に不釣り合いな状況ではあったのだが、夕立に濡れた土と草の匂いが風に香るあの夏の記憶とともにアリョーシャ・カラマーゾフは、心の中にある。

本を読むのには、場所を時々変えてみるのは意味がある。とくに外で読んだ本は、後から思い返しても楽しい経験に思える。旅行をしたときには、当地のゆかりの作家の作品を読むことにしている。たとえば、金沢に行けば室生犀星を読み、山形の鶴岡に行けば藤沢周平を読むといった具合だ。文学や思想は、それを生みだした著者が生まれ育った風土と関係が深い。その土地の雰囲気の中で読むと、作品の底にある、独特の感覚に触れることができる気がする。本の世界は現実と切り離された独自の世界とも言えるが、現実の空気の中に積極的に組み込むことによって、体験としての読書が成り立ちやすくなる。

読書を体験とするには、ある程度の期間持続的にその本を読みつづけ、生活とオーバラップさせることがコツだ。

私が二十代の頃に、村上春樹の『風の歌を聴け』や『羊をめぐる冒険』(ともに講談社文庫)などが流行《はや》っていた。村上春樹の小説の中には、主人公の男が一人でビールを飲む場面がやたらと出てくるので、つい自分もビールを飲む気になってしまう。少し雰囲気のある(しかし安い)バーのような店で、村上春樹の小説を読むというのは、なかなか気分のよい夜の過ごし方であったが、同じことをしている者がいたときは気恥ずかしかった。

この本を読むときにはこういうシチュエーションで読むというように決めておくと、本が体験として記憶されやすい。

音楽とセットにして読むのも記憶に残りやすい。私はロマン・ロランの『ベートーヴェンの生涯』(岩波文庫)を読むとき必ず交響曲5番や9番をかけていた。すると迫力は倍増した。こんなに直接的なつながりでなくとも、自分で勝手に本にテーマソングを設定しておくのでもいい。後でその曲をどこかで耳にしたとき、本も思い出す。

読書人、読書生活という言葉はもはやめったに聞かれないが、読書がやりようによっては十分体験となることをここでは確認しておきたい。

16　伝記の効用

自分をつくる読書ということでいえば、伝記について一言触れておきたい。伝記を読むのは、小学生の定番読書コースだと思っていたら、最近はそれほど流行《はや》っていないようだ。かつては、伝記シリーズは、小学生には人気があった。シュバイツァーや野口英世はもちろんのこと、良寛や牧野富太郎、ノーベルや源義経といった伝記世界の大物たちを、私は当たり前のように小学校の図書館で借りて読んでいた。

伝記は、英雄主義で立身出世物語すぎるので、強制するのは好ましくないという論がある。たしかに偉人となる人は、ふつうの人間ではない。才能もエネルギーも並はずれている。それをモデルにして生きることは、幸福とは言い切れないだろう。しかし、現実の人間は、偉人伝を読んだからといって、偉人にすべてなるわけではない。あこがれをもって生きることは、普通の人にとっても活力となる。マイケル・ジョーダンのプレーを見てバスケットを始める少年や、マラドーナやジダンのプレーを見てサッカーに打ち込む少年がいることを思えば、ヒーローやヒロインは、現実に影響を与える存在だと言える。

子どもを育てる身になってみると、現在の子育てにおいて倫理観を子どもに持たせることは、意外に難しい。絶対的な宗教を持たないことが、その大きな要因だ。宗教の代わりになるものが読書だと先に述べたが、伝記はその中でも重要な役割を果たしていたと考える。

自分ひとりの幸せではなく、周りの人の、場合によっては世界全体の幸福のために、自分の人生をなげうってでも尽くすといった生き方は、現在の子どもたちが自然には学び取りにくいものだ。ゲームやテレビではなかなか吸収しにくい生き方である。自己犠牲的な伝記を読めということではなく、ある種の倫理観を養うような伝記であればいい。

伝記の作品としてのレベルにもよるが、伝記を読むことによる弊害よりも、あれこれの人物の伝記を小学校時代に読むことは、プラス面の方が大きいと私は考えている。もちろん、伝記特有の臭さに耐えられない子どもも、中にはいるかもしれない。しかし、それは小学生においては少数であろう。一度はまっすぐに道を求めた生き方のモデルを何種類も心の中に組み入れておくことは、宗教や道徳教育が手薄な日本の状況においては、現実的に意義のあることではないだろうか。

17　ためらう＝溜《た》めること

自分をつくる読書といっても、確信を得るばかりが自分をつくる道ではない。むしろためらうこと、溜《た》めることを「技」として身につけるのが、自分をつくる読書の大きな道筋だ。

本には実に様々なものがある。強烈な著者も揃っている。正反対の主張のものも店先では並んでいる。私は大学の授業では、学生に自主的なプレゼンテーションを一、二分でしてもらうことにしている。そのときに、毎回同じ著者の作品を発表する者がでてきてしまう。これは非常に狭いプレゼンテーションだ。そうした学生の特徴は、妙に自分の(実は著者の)意見に確信を抱いてしまっているということだ。充分な教養もできていないのに、数冊読んだだけで絶対の自信をもってしまうのは、いかにも危険だ。

多くの本を読めば、一つひとつは相対化される。落ち着いていろいろな思想や主張を吟味することができるようになる。好きな著者の本を読むだけでは、こうした「ためらう」心の技は、鍛えられない。すぐに著者に同一化して舞い上がるというのでは、自己形成とは言えない。

自己形成は、進みつつも、ためらうことをプロセスとして含んでいるはずだ。人間は努力する限り迷うものだと言ったのは、ゲーテだ。一冊の絶対的な本をつくってしまうのならば、それは宗教だ。冷静な客観的要約力をもって、いろいろな主張の本を読むことによって、世界観は練られていく。もちろん青年期には、何かに傾倒するということがあっても自然ではある。しかし、その傾倒が一つに限定されるのではなく、傾倒すればするほど外の世界に幅広く開かれていくというようであってほしい。一つの本を読めば済むというのではなく、その本を読むと次々にいろいろな本が読みたくなる。そうした読書のスタイルが、自己をつくる読書には適している。

ためらうというと、否定的な響きを持っているかもしれないが、ためらうことは力を溜《た》めることでもある。一つに決めてしまえば気持ちは楽になるが、思考が停止してしまいがちだ。思考を停止させずに吟味し続けるプロセスで、力を溜めることができる。本を読んでいると、著者に直接反論できるわけではない。少し自分とは意見や感性が違うなと思うことももちろんある。しかし、直接反論はできないので、その気持ちを心に溜めていく。はっきりとは言葉にして反論できなくとも、その溜めたものは、やがて力になっていく。そして、別の著者の本を読んだときに、あのときに感じた違和感はこれだったのかと気づくこともある。自分自身でその違和感を持った本について人に話しているときに、違和感の正体に自分で気づくということもある。読書は、完全に自分と一致した人の意見を聞くためのものというよりは、「摩擦を力に変える」ことを練習するための行為だ。自分とは違う意見も溜めておくことができる。そうした容量の大きさが身についてくると、懐が深くパワーのある知性が鍛えられていく。

ためらうことや溜めることを、効率が悪いこととして排除しようとする風潮が強まっている気がする。十代の後半などは、このためらい自体を雰囲気として味わうのがふさわしい時期であったのだが、現在は効率の良さを求めるあまり、ためらう＝溜めることの意味が忘れられかけようとしている。本を読むという行為は、この「ためらう＝溜める」という心の動きを技として身につけるためには、最良の方法だと思う。

18 「満足できるわからなさ」を味わう

「溜《た》めをつくる」という言葉がある。力を出すときに、膝を曲げて動きの準備を整えることだ。盛り上がるために、一度低く沈むこともある。心にも「溜め」という技がある。自分と違う考えのものでも、一応は聞いておくことができるのは、たとえば「溜め」だ。自分の言いたいことをすぐに言ってしまうのではなく、自分の心の中で吟味し、言葉を選ぶのも「溜め」だ。

子どもの読書と大人の読書の間には溝があると先ほど述べた。子どもの読書とは、一度読んでわかってしまうものだ。わからなさに耐える必要がない読書では、読書力は向上していかない。運動のトレーニングで言えば、すでにできる力量の六、七割をいくらやっていても筋力はつかないのと同じだ。わからなさが、筋力トレーニングで言えば、負荷である。「わからないところがあるからつまらない」と言って放り投げるのではなく、わからなさをいわば溜めておく構えが重要なのである。

わからない文章が出てきても、そこで放り投げずに耐えて、次の文章へ行く。次の文章で意味がわかることもあるだろうし、そこでもわからないこともある。一段落全部あるいは数頁にわたってわからない状態が続くことさえあるかもしれない。しかし、それでもわかっていく予感を探るのが大切だ。何かがヒントとなってわかるようになることがある。

満足できない、ただ難解なだけの内容空疎な文章なのか、わからないながらも内容が高度に詰まっている、「満足できるわからなさ」という種類の文章なのか。これを見極めることが読書力向上にとっての鍵になる。

ただの悪文をありがたがって読んでいても、それはからだに悪いトレーニングだ。しかし、負荷がある(難しい文章)といって投げ出すのでは、力はつかない。難しいからという理由だけで、ハイレベルな本を毛嫌いする傾向は強まってきている。ひどい場合には、「やさしく書けないのは、著者が本当にはわかっていないからだ」といった聞いた風な論を悪用して、自分の読解力や知識のレベルを上げる努力を怠る者も多い。難しさやわからなさに耐えてそれを克服していった経験は、本当に読書力のある人ならば、誰もが持っているのではないだろうか。

わからなさを溜めておく。

この「溜める」技自体が、読書で培われるもっとも重要な力なのかもしれない。

II

自分を鍛える

——読書はスポーツだ——

1　技としての読書

読書は慣れれば自然な行為だが、実は自然に身につくものではない。本を読むことができるようになるためには、ステップが必要だ。

外国語の本を一冊渡されてすぐに読み通して見ろと言われれば、大概の人が困るだろう。実は日本語でも同じことだ。「なんとなく自然に本を読むようになった」という人は、読書環境がよかったと言える。家に本があり、親も本を読み、学校でも適切な国語教育がなされれば、当人がさほど意識しなくとも本を読む習慣がつくこともあるだろう。しかし、必要なステップを外せば、たとえば漢字の読みができなければ、本を読みこなすことは難しい。

とはいえ、読書はそれほど難しい技だというわけでもない。きちんと練習しさえすれば数か月で、大概の本は読みこなせるようになる。私が「読書はスポーツだ」と言うのは、読書にはスポーツと同じような上達のプロセスがあり、読書もまた身体的行為であるという意味だ。それとともに、一度読書をスポーツとして捉えると、今まで読書を敬遠していた者にとって、読書が近づきやすく感じられるという狙いもある。

私の大学のゼミには、運動部出身者が数多く集まる。彼らのうちのかなりの者が、本をまったくと言っていいほど読んだことがない。しかし、さすがに大学生なだけあって、私と一緒に読書会をやっていると、三か月もすると、ドストエフスキーやニーチェなどの五百頁ほどの本も、一週間でこなせるようになってくる。運動部の出身者は、単調とも言える基本の反復練習の重要さをからだで理解しているので、一度はまると読書はものになりやすい。

私は学生に「ここは部活だから」という言い方をする。世に文芸部はあっても、読書部というものはない。しかし、読書は意外かもしれないが、典型的に部活向きのものだ。きちんとした指導者のもとでトレーニングを積めば、相当な本まで読むことができるようになる。一度読書が技として身につくと、そう簡単には落ちない。外から見ると、「さすが読書部出身(そうは言わないが)」というレベルにもなる。

私の考えでは、小学校、中学校、高校では、全体が一貫して読書部であり続けていい。そこを十二年間通ってきたら、十二年間バスケットボール部で鍛え上げてきたような技術と体力が身についているというようであるべきだ。高校卒業時に、本を読む習慣ができていない、あるいは、そもそも本を一冊読み通せないという状態で送り出すとすれば、それは学校教育として怠慢というほかはない。

では次に読書の上達のプロセスをスポーツ上達法のように、ステップ1から4に分けて説明したい。このプロセスが絶対的というわけではない。上達の目安として読んでいただきたい。

2　読み聞かせの効用【ステップ1】

本を読んでもらうのは楽しい。こうした楽しみは、幼い頃でも味わうことができる。生後一年に満たない幼児でも、絵本を繰り返し読んでもらうことを喜ぶ。文章がリズミカルに耳に響いてくるのは、まだ歩くことのできない子どもでも楽しいものなのだ。子どもは繰り返しをいやがらない。好きなものであれば、何度でも繰り返し読んでもらいたがる。そのうち文章を覚えてしまう。

言葉を読んでもらい、自分で覚えてしまう。これは幼い子どもたちにとって、不自然なことではない。絵本をきちんと選んで読んでやれば、「もっと読んで」という子どもの欲求がどんどん高まってくる。ふだん話されている話し言葉を聞くのとは違う喜びが、子どもの方にはある。絵本には非常に優れたものも数多くある。大人が見ていても飽きない素晴らしい絵や素晴らしいストーリーのものがたくさん出ている。読書の喜びは、こうした絵本を読んで聞かせてもらうところからはじまる。

『クシュラの奇跡――一四〇冊の絵本との日々』(ドロシー・バトラー著・百々佑利子訳、のら書店)という本がある。生後直後から複雑で重い障害を持って生まれたクシュラという女の子が、母親の絵本の読み聞かせを通して、顕著な発達を見せ、外界へ意識を広げていった記録だ。

生後まもなく次々と異常が発見されたクシュラは、昼となく夜となく目を覚ましていた。その長い時間をどうにかしてもたせる必要に迫られた母親は、生後四か月の時に、本を読み聞かせるということを思いついた。クシュラは重い障害にもかかわらず、本を読もうとする意思を示し、全身を耳にして聞いた。母親の方も本を読んでやっているときには、建設的なことをしているのだという明るい気分になることができた。

クシュラが外界の人物と関わるためには、必ず大人が付き添って助けてあげる必要があった。一対一の本の読み聞かせを通して、クシュラは外界の事物と交渉する通路をもつことになった。クシュラが気に入った本は、何百回も読まされることになった。睡眠パターンが不規則だったので、長い時間の夜を過ごすのに繰り返し絵本を読んだ。大量の本の読み聞かせを通して、クシュラは絵本の世界の人々と友達になった。本の中の住人が、絶え間ない苦痛と不安にさいなまれていたクシュラの心の友となったのだ。この読み聞かせは、クシュラの気持ちを明るくさせただけでなく、知力を向上させ、身体の発育にさえも好影響を与えた。

三歳八か月のときにクシュラ自らがこう言っている。「さあこれで、ルービー・ルーに、ほんをよんであげられるわ。だって、このこ、つかれていて、かなしいんだから、だっこして、ミルクをのませて、ほんをよんでやらなくてはね。」

大量の読み聞かせをしてもらったおかげで、クシュラは心の中に豊かな世界をもつことができるようになった。これは、障害のあるなしにかかわらず、どの子どもにも有効な教育方法だろう。子どもと一緒にいる長い時間をもたせるために、クシュラの母親がせっぱ詰まって読み聞かせをしたというのもおもしろい。子どもとずっと一緒にいることは、時に苦痛にもなる。親自身が楽しめる絵本を選んで一緒に読むというのは、いい時間の過ごし方だ。

私自身が子どもに読み聞かせをした経験の中でお薦めしたいと思う絵本は、『ギルガメシュ王ものがたり』『ギルガメシュ王のたたかい』『ギルガメシュ王さいごの旅』（岩波書店）の三部作だ。これは、メソポタミアの世界最古の神話の一つ、ギルガメシュ王の物語を絵本にしたものだ。楔《くさび》形文字で粘土板に記されたギルガメシュの物語は、ノアの方舟の原型とも言える話を含み込んだ壮大なものである。神話を構成する重要な要素に満ちている。友情と恋愛、英雄物語、生と死の物語、悪との戦い、旅など、物語の原型がほとんどと言っていいほど入っている。絵も素晴らしく、一枚一枚が壁画のようだ。色使いも美しい。ただ単にうまいというのではなく、神話の重みが伝わってくる荘厳さがある。一方で、疲れたライオンを背負って歩く絵柄など、ところどころユーモアも感じられる。原文の物語化もうまく、無駄がない上に、抽象的になりすぎていない。訳文も、文語体の迫力をところどころに生かしていて、申し分ない。とりわけ凄いのは、第三巻の『ギルガメシュ王さいごの旅』だ。人生の問題が凝縮されていて、大人でも十分味わうことができる名作となっている。

私はこの三冊を子どもに読み聞かせながら、自分自身がその世界にはまっていった。子どもに読み聞かせをするのは、あまりに過剰になれば親としても辛いものがある。それだけに、親自身が何度読んでも飽きないものにしたくなる。この二冊は、絵、物語とも優れているので、子どもも親も楽しめる。こうした物語の原型を幼いうちに心に刻みつけることは、人類の文化史を凝縮して伝承している気がして格別な味わいがある。人類の古代を個人において繰り返している感がある。

私がこの本をとくに採り上げたのは、このシリーズの売り上げ部数を聞いて驚いたからだ。多いからではない。少なすぎるのだ。現在では大きな書店でないと、なかなか見ることもできなくなっている。これほど素晴らしく、しかも読みやすい本が数千部しか売れていないというのは、ショックであった。本の価値に対して、あまりにも部数が少なすぎる。このままではやがて品切れ状態になってもおかしくはない。これほどの文化的価値の高い本が品切れになるとすれば、その国の読書文化は貧困だ。いい絵本は世に他にもたくさんあるが、世界最古の神話の一つということもあり、とくにお薦めしておきたい。一冊だいたい千八百円だが、作品の質からすれば、非常に安い値段だと考える。書物にもっとお金を出す習慣を持つべきだ。

子どもに本を読んでやるのは、幼児にばかりとは限らない。本を読んでもらうのは小学生になっても嫌いではない。たとえば、男の子向けかもしれないが、江戸川乱歩の「怪人二十面相」シリーズは、小学生に読んでやるのに楽しい本だ。現代の作家に比べると、文語体の時代がかったセリフが多いのも楽しい。たとえば、「ああ、読者諸君、これは一体どうしたことでしょう」といった文章が次々に出てきて、紙芝居を見ているようなおもしろさがある。時代は相当経っているのに、なぜか子どもには人気があり続けている不思議なシリーズだ。推理の謎解きというだけではなく、かつての日本が持っていた風情が、文章のそこここから感じとられる。そうした効用も、このシリーズにはある。

この他、読み聞かせに向いているシリーズとしては、たとえば「ドリトル先生」シリーズがある。これも長いシリーズだ。夜寝る前に読んでいると、どこから始めてどこで終わってもいいような気楽さがある。井伏鱒二訳が出ているので、日本語の文章としてもこなれていて、声に出して読みやすい。

長い物語を目で追わずに、耳からだけ聞いているという経験も、なかなかイマジネーション(想像力)を喚起するおもしろい経験だ。耳から入ってきた言葉で、頭の中に映像に寝る間際の頭を思い描いていく。目で読んで頭に思い浮かべるよりも負担が少なく、寝る間際の頭にはちょうどいい。自分で勝手なイメージを思い描きながら夢うつつの境を彷徨《さまよ》うのは、至福の時だ。本の良さは、イマジネーションを育てるところにもある。単に知識を得るだけではない。言葉から映像や音、匂いなどを想像する力は、優れて人間的だ。この極めて人間的なイメージ化能力を、読書は鍛えてくれる。

最近は、アニメ映画の優れた作品が数多く生み出されている。これは、文化としては非常に高度な技術が駆使されたものである。作品としての出来もいい。しかし、惜しむらくは、作品をつくる側の想像力があまりにも発揮されてしまっていて、見る子どもの方が、その想像力を享受するだけでお腹いっぱいになってしまうということだ。

本のように言葉しか手がかりがなければ、色から絵柄、そして登場人物の声質まで、すべて読者側が想像することになる。よく本やマンガで知っているキャラクターがテレビのアニメになったときに、「声が違う」と感じることがある。これは想像上で自分の声を何となくつくり上げて読んでいるということだ。実際の声優の声がイメージとずれていると感じる力は、イメージ化能力があることを示している。初めからアニメ作品として出会ってしまうと、その「ズレ」を感じることはできにくくなる。

作り手側の想像力が駆使された映像作品は、作品としての完成度が高まれば高まるほど、子どもの想像力を鍛えるトレーニングメニューにはなりにくい。アニメ作品に慣れきった人たちの中に、本をほとんど読まない人も多い。言葉だけからさまざまなイメージをつくり出すことのできる、このイメージ化能力は、優れた映像作品が溢れている現代において、むしろ弱まる傾向にあるのではないだろうか。

3　宮沢賢治の作品が持つイメージ喚起力

言葉と感覚を対立させて考えようとする論を時折見かける。しかし私の考えでは、両者は対立するものではない。言葉が繊細に使えれば使えるほど、五感もまた研《と》ぎ澄まされる。新しい言葉が生まれれば、新しい感覚もまたそこに生まれる。元来文学作品は、そうした新しい感覚を生み出すための言葉の実験室でもある。誰も感じたことのない感覚やはっきりとは意識化できなかった感覚を、文学者が言葉にしてくれることによって、初めて手に取るように把握できるようになる。そして、感覚が意識化され反復されることによって、その感覚が定着してくる。繊細な今にも消え去ってしまいそうな感覚を定着させるというのは、実に文化的な営為だ。

言葉によって五感が研ぎ澄まされる。この爽快感を味わわせてくれる文学者の代表が、宮沢賢治だ。宮沢賢治の作品には、水の冷たさや水に映る光の網、朝の雫《しずく》の美しさや、鉱物の硬さ、『よだかの星』のような燃えあがる火の強さ熱さなど、五感を呼び覚まし研ぎ澄ましてくれる言語表現が満ちている。

子どもにも読めるものでありながら、大人も飽きることがない。私は『宮沢賢治という身体』(世織書房)を書いたときに、宮沢賢治の全作品を読み直し、その想像力の豊かさに改めて共感した。とりわけ素晴らしいのは、地水火風の想像力がまんべんなくしかも高いレベルで発揮されていることだ。詩人や文学者の場合でも、地水火風のイメージでいうと、どれかに好みが偏りがちだ。しかし、宮沢賢治の場合は、具体的なものとの関わりが常に失われておらず、地水火風のどれもがリアリティのあるイメージで提示される。宮沢賢治が自然の中で言葉を練り続けたことによって、読む私たちのイメージにも具体的に色や音、匂い、暖かさ、冷たさなどが染み込んでくる。これほど身体感覚をまんべんなく繊細に喚起してくれる文学者は得難《えがた》い。その意味では、宮沢賢治は読み聞かせの最大の宝庫であると言える。

しかも、宮沢賢治の作品には、倫理性が色濃く含み込まれている。倫理観を文学作品に求めるのは筋違いだ、という意見もあるだろうが、現実問題として子どもに倫理観を持たせるのは、親や教師の重要な仕事だ。完全な放任主義で子どもに倫理観が自然に育つと考えるのは、あまりにも現実的ではない。倫理は強制するものではないといった耳あたりのいい論は、子どもを育てる立場からすると、あまりにも無責任な論だ。幼少期には、何がよいことで何が悪いことなのかを、一度は基本として学ぶ必要がある。

宮沢賢治の作品は、こうした人間の生き方のベースとなる倫理観を養うのにも最適だ。命とは何か、他者のためにどのように生きたらいいのかといった、根本的な問題についてのメッセージが、いろいろな作品に込められている。毎週教会に行って説教を聞くわけでもない子どもたちにとっては、宮沢賢治の作品は、一種の倫理教育の役割も果たす。狭い意味での道徳ではない、ユーモアも入った懐の深い倫理感覚が、宮沢賢治にはある。その意味で、言葉によって身体感覚や想像力を喚起するという点から見ると、宮沢賢治の作品は、日本の中で特筆すべき位置にある。

読み聞かせメニューの定番としてお薦めしたい。

4　自分で声に出して読む
【ステップ2】

人に読んでもらうのを聞くという段階がステップ1だとすると、ステップ2は自分で声を出して読むということだ。

文章を「声に出して読む」というのは、かつてはごくノーマルなことだった。素読《そどく》はその代表的なものだ。細かな意味の解釈以上に、音読が重視された。何度も音読をすることによって、言葉がからだに馴染《なじ》んでくる。元来は自分の外側にあったよそよそしい難しい言葉が、徐々に自分になじみ深いもの、自分のものに感じられてくる。その言葉の身体化の最も強力な方法が音読であった。

二〇〇一年九月に出した『声に出して読みたい日本語』は、意外なほど大きな反響を得た。この背景には、声に出して読むというシンプルで強力な方法が軽視されてきたという事情がある。朗誦や暗誦には、戦前の教育勅語のイメージがまとわりついているので、戦後敬遠されがちだったということもある。朗誦・暗誦には、日本でさえも千年を超える歴史があり、諸外国でも、詩などの文学作品に馴染むのには当然の方法とされている。日本が特別に、いわば「あつものに懲りてなますをふく」状態に陥っていた。全体主義的な戦争とは元来無関係な、朗誦・暗誦という身体文化の価値をおとしめてきたのである。「子どもに朗誦・暗誦をさせると、戦前のようだ」と言う人がいる。しかし、この論理では、戦前のようだなのではなく、明治時代のようだ、江戸時代のようだと遡《さかのぼ》っていくことになってしまう。

朗誦・暗誦を全体主義やナショナリズムと重ね合わせて考える危惧も、私の考えとはちがうものだ。国家主義のナショナリズムに陥らないために、多様な文化を身体を通して吸収しながらのアイデンティティの作り方を提示したのが、前掲書であった。教育勅語のような一元的な価値観だけを強制する場合は、確かに危険だ。そうではなく、これまでにあった様々な価値観を表現している、質の高い古典をあれこれ朗誦・暗誦するのは、精神の幅を広げることになる。

現在、読書は黙読中心だ。しかし、音読が主流であった時代もある。一冊の本を家族が集まる居間で誰かが読み上げ、他のものがそれを聞くというのは、一般的な本の味わい方でもあった。あるいは、新聞でさえも音読をしていた世代がある。言葉を覚えていく段階では、とくに音読は効果的だ。自分で発音し、自分の耳に入れた言葉は、身につきやすい。音読によって注意力は高まる。黙読では読み過ごしてしまいそうな言葉も、音読では読み飛ばすことがない。

先日、東京都立高島高等学校の内田睦夫校長に声に出す効果についての話を聞いた。内田先生は、民間人校長の第一号で、企業のご出身だ。企業時代に、ヒューマンエラー(人為的なミス)を減らすために、注意書きをそれまで黙読であったものを音読に切り替えたところ、エラーが格段に減ったということであった。黙読の場合は、当人が読んでいるつもりでも読み飛ばしていることが多いが、音読ではそれがなくなるということであった。

声に出して読むと脳は活性化しやすい。これについては、「脳科学と教育」を研究テーマとする川島隆太東北大教授を中心としたグループの研究成果がある(「産経新聞」二〇〇二年六月一七日付の記事を参照)。いろいろな動作行動ごとの脳活動の状態が画像処理されていて、活性化している部分が一目でわかるようになっている。たとえば、「音楽を聴く」場合には、側頭葉の一部の聴覚領域のみが活性化しているだけだ。コンピュータゲームでは、脳の後ろの部分が中心的に活性化する。ただ「目を閉じたまま明日の予定を一生懸命考えているとき」などは、ほとんど活性化していない。足し算を一生懸命速く行うと、脳の広い範囲が活発に動き出す。漢字を覚える場合には、ただ読むだけではなく書きながら覚える方が活性度が高い。読む場合には黙読よりも音読の方が脳の活性化領域は広くなる。比較すると、これらの中では、音読したときが、一番活性化領域は広くなっている。

子どもはとくに黙読していると意識がボーッとしやすいので、はじめのうちは音読で意識の持続力をつけるのはよい方法だ。

5　音読の技化

大学生を指導していて驚いたことがある。それは、日本語を朗読させてみると、驚くほど言い間違いが多いということだ。漢字の読みができないという問題もたしかにある。しかしそれ以上に、すらすらと日本語を読み上げることができないのに驚いた。一文ずつ回し読みをしていったのだが、学生の半数近くが、必ずどこかでつっかえたり言い間違えたりする。決して大学生の知力全体が低いわけではないので、この音読の低レベルさにはトレーニング不足を感じた。きちんとすらすらと読むためには、アイ・スパンを広げる必要がある。自分が読んでいるところの先にまで目を届かせる。この幅が広いほど、アイ・スパンは広いということになる。アナウンサーの訓練などでは、先の方までアイ・スパンを広げる練習をするそうだ。

すらすら読もうと思ったときにはプレッシャーがかかる。しかしその状態で、間違いなく読み上げていく練習を続けていると、脳がはっきりと目覚めてくるのがわかる。小学校低学年の子どもに、普通のレベルの日本語で振り仮名(ルビ)つきの文章を音読させると、日本語らしく聞こえない途切れ途切れの音読になることがよくある。これでは速く本を読むことは難しい。

速読を身につけるプロセスでは、音読から黙読へ当然移行する。口を動かしているようでは、速く読むことはできない。しかし、上達のプロセスとしては、音読が先になる方が合理的だ。すらすらと音読できるようになると、自然とアイ・スパンを広げる練習ができているので、目をどんどん先に送ることに慣れてくる。

音読のレベルと読書力のレベルは関係が深い。学生をチェックしてみると、読書量の少ない者は総じて、速いテンポですらすらと音読することも得意ではない。的確に速いテンポで滑舌《かつぜつ》よく読み上げる練習は、脳を活性化し、黙読によって大量の本をこなす読書力の基礎をつくる。

6　音読で読書力をチェックする

音読をしてみると、自分の読む力量をチェックすることができる。漢字が読めないとすれば、それが明らかになる。黙読ではごまかしがきいても、音読ではごまかしようがない。文意をしっかり取っているかどうかも、音読のリズムや抑揚の付け方でわかる。たどたどしく途切れ途切れになる音読では、文意をつかまえ切れていない可能性が高い。これは、日本語に限らない。英語の音読を学生と一緒にやっていると、文の構造がわからない学生は、おかしなところで文を区切って読むということがわかる。流れよく、聞いている者にもすっと文の意味がわかるような読み方をするためには、文の構造がわかった上での読みである必要がある。息のリズムを文の構造に合わせて調節するのである。頭に意味がすっすと入ってくる読み方を練習するのには、音読が最適である。自分の力量をはっきりと表に出してチェックすることができる方法だからだ。

7　読書は身体的行為である

読書は精神的な活動の典型とされてきた。たしかにその通りだが、高度に知的な行動であると同時に、読書は身体的な行為でもある。目を動かし頁をめくり、場合によっては声を出す。ある程度同じ姿勢を保持できることも、長時間の読書には必要だ。内容理解以前に、きちんと坐り続けられないということが読書の妨げになることもある。

この問題について、唐木順三は、『現代史への試み』(筑摩書房)の中で論点をクリアに指摘している。唐木によれば、明治維新前後に生まれ、幼少期に四書五経の素読を受けた世代、例を挙げれば、鷗外、漱石、幸田露伴、二葉亭四迷、内村鑑三、西田幾多郎、永井荷風といった人々の世代と、明治二十年前後に生まれ、大正時代に教養派として活動した者たちとの間に明確な一線を引くことができる。唐木は前者を「素読世代」と呼び、後者を「教養派」と呼んでいる。

素読派は「型」の文化が身についており、身体的鍛錬を伴う修養の文化の中に育っている。教養派は読書はするが、それが身体的行為ではなく、楽しいものを享受するにとどまっている。たしかに修養という言葉は古くさい。しかし、そこに含まれている身体的訓練の重要さをまったく無視して、自由や個性という言葉を旗印に身体的鍛錬を排除したことによって、読書は自己形成のための修養というよりは、散歩や映画、碁、将棋と並んで趣味欄に並べて書かれるようになってしまった、と唐木は批判する。自由や個性という概念の代表とされるルネッサンス時代における教養は、単なる美的な享受、つまり美しいものやいいものを受動的に受け取るだけの楽しみではなかった。ダ・ヴィンチは工作人であり、ミケランジェロはノミを振るう人であった。

「そこでは読むことは行為であり、眼ではなく身体で、動作をともなふものであつたのではないか。声をたてて読むこと、動作をともなつて読むこと、さうして「本」に心酔すること」、こうしたことからルネッサンス人は自己を統御したのではないのかと唐木は言う。

「古典を真に読むことには、僕は身体的な動作が必ず伴ふのではないかと思ふ。さうして、それによって我々の精神が逆限定をうけるのではないかと思ふ。」

現在では、大正期の教養派のように、幅広く読書をし、それを美的に味わうということ自体が廃《すた》れてしまっている。したがって、唐木の批判は非常にハイレベルな相手を批判していることになっている。今や、教養としての読書さえも危うい時代なのである。

本を読むことが持つ精神への影響を考えるとき、読書を一度身体的行為として捉え直すことには大きな意味がある。自分の思考に形を与えるためには、音楽を楽しむような態度ではなく、積極的に自分を身体ともども関わらせる構えの方が効果的である。それは、音楽を聴くときの脳がほとんど活性化していないのに対して、音読の時に最大の活性化を示すという先の研究成果とも呼応する。

幼い頃に声をあげて難しい書物を読んだ者が、その後読書の幅を広げないということはむしろない。難しいものに慣れているだけあって、様々な分野の本を読みこなす素地ができている。唐木は、明治三十五年に三十代であった人の読書の幅を例に出している。カント、ヘーゲル、ニーチェから『ファウスト』、『水滸伝』、『レ・ミゼラブル』、さらにダンテ、ハイネ、近松、子規、パウロ、内村鑑三などといった幅広い範囲に読書が及んでいる。それが身体的行為としての読書という素地の上に成り立っていると唐木は言っている。

読書を「行」とまで捉えるのは、現代では少々キツイかもしれないが、私がこの本で言いたいのは、精神の心地よい緊張を伴う読書のすすめだ。スポーツで厳しい、しかし合理的な練習をしているときは、心地よい緊張感がある。その練習をし終えた後は、エネルギーを燃焼した充実感と上達の実感が残る。

こうしたスポーツの時に得ることのできる充実感を、読書でもまったく同じように得ることができる。自分の好きな文章を声に出して読んでみたり、書き写してみたりすることによって、自分のものになってくる。本を読むことを、ひとつの出会いとし、人の書いた文章を自分のものにしていく作業において、身体は重要な役割を果たす。

自分で声に出すステップ2の次の段階として、自分の腕を動かして本に線を引く段階を、ステップ3としたい。

8　線を引きながら読む【ステップ3】

子どもの頃に声を出して読む段階があった人でも、次に線を引く段階に通常は移らない。ただ目で字を追うだけになるのが普通だ。しかし、私は本を自分のものにするためには、線を引きながら読む方法は効果的だと考えている。線を引くというのは、自分を積極的に本の内容に関わらせていく明確な行動だ。ただ読んでいるのでは、メリハリがなく受動的になってしまう。どこに線を引こうかと考えながら読むことで、読みは積極的になる。

実際に線を引くときには、勇気がいる。自分自身の価値観や判断がそこに表れ、印として残ってしまうからだ。他の人に、もしかしたら見られてしまうかもしれないという気恥ずかしさも含まれている。的外れなところに引いてしまえばみっともない、という気持ちを乗り越えて、線を勇気を持って引く。この一回一回の積み重ねが、本を読む力を鍛える。

本を自分のものにするということは、具体的には、その本の中に重要な自分にピンとくる文章を見つけるということだ。一つもピンとくるところがなければ、その本は自分には縁がなかったということになる。本を読んでいくと、共感できる文章に出合うことがある。まずは、そこから線を引いていく。誰かに見られることなど考えずに、思い切って勇気を持ってしっかり引く。線を引くのも慣れだ。

線を引いてしまえば、それは自分の本になる。他の人が線を引いたあとの本を読むのはつらい。自分の刻印を残した本は、いとおしくなる。

たとえば、旅行先の地図を考えてみよう。最初に見たときには、のっぺりとしたただの地図だ。しかし、現地に行ってみて、実際に足を運んだところに赤く○を付けていったとする。経路を矢印で地図に書き込んでもいい。素晴らしく印象に残ったところは、三重丸で囲んだり、行った店の名や出会った人の名を書き込む。そうやってみると、地図は「自分の地図」になる。すると、旅行が終わった後にも、その地図は捨てがたいものになる。あとから見返してみると、そのときの思い出が、自分のチェックポイントから蘇ってくる。何もチェックをせずにおいた地図は、捨てても惜しくない。また手に入るからだ。しかし、一番その町に馴染んでいたときにつけた印は、あとからではなかなかつけにくい価値を持っている。本の場合も同じだ。

本に対しては、一期一会で臨むと、出会いの質は高くなる。いつでもまた読むことができる、というのは本の利点ではある。しかし、「この本に出会うのは最初で最後かもしれない」と思いながら読むことによって、出会いの緊張感は高まる。線を引くときにも、たとえ他の人にとってはここは重要でなくとも、自分には大事なところなんだ、と確信して引くのであれば問題はない。

そうしてたくさん自分の判断力を込めて線を引いた本は、あとから見返すときに、非常に価値が出る。読み返すのに、初めて読んだときの数分の一、あるいは十分の一程度の労力で、内容を見返すことができるのだ。線をまったく引かないで読んでしまった本は、見返してみても記憶を呼び起こすのに時間がかかる。しかし、ところどころにしっかりと線が引いてあれば、それを手がかりにして、読んだときの記憶を呼び起こしやすくなる。また、線を引いたところだけを辿《たど》って読んでいけば、一応の内容はつかめる。

これは、ほとんど時間のかからない作業だ。

何回か反復して本を把握することによって、本の内容は定着してくる。一度読んだだけで記憶するというのは、なかなか難しいものだ。線を引いた箇所だけでもいいから何度も見ていると、だんだんその文章に慣れてくる。

緊張感をもって読んだ本は、読み返す価値がある。本を買ってきれいなまま斜め読みし、また売ってしまうというやり方は、一見効率がいいようだが、私から見ると、実に無駄の多い読書だ。もちろん、娯楽本ならそれでいい。しかし、緊張感ある読書をした場合には、その本を簡単に手放すのは惜しい。とりわけ、自分の自己形成に関わった本は、線を引いた形でとっておきたい。十年後、二十年後に読み返したときに、発見があったり感慨をもよおしたりしやすい。誰でも自分に対しては興味がある。自分が線を引いた本は、あとから否定するにしても、関心を喚起するものだ。

線をたくさん引いたところ、つまり自分がたくさんピンときたところの頁には、私は付箋《ふせん》を貼ったり、頁の端を折ったりしている。そうしておくと、あとでパラパラめくるときに、すぐに重要なところを見つけられる。筆記用具を持っていないときなどには、とりあえず頁を折っておき、あとで線を引いたりする。一文一文に線を引くのが面倒なときには、一段落まとめて上の方にチェックをして二重丸や三重丸をあとでつける。

付箋は便利なものだ。付箋をたくさん貼りたくなる本は、自分にとって大事な本だ。だから、本棚を見返してみて、付箋の数で重要度がわかる。特別人事なところは、付箋を飛び出させておく。最近はカラフルな付箋が安く売られている。本を自分のものにするための効果を考えれば、付箋は決して高くはない。まず、使ってみることをお勧めする。

9　三色ボールペンで線を引く

私は自分が線を引くときには、三色ボールペンで色分けして引いている。青と赤が客観的な要約で、緑が主観的に「おもしろい」と思ったところだ。青は、「まあ大事」という程度のところに引き、赤は、本の主旨からして「すごく大事」だと考えるところに引く。赤だけ辿れば、本の基本的な要旨は取れるように引く。客観的なという意味は、読解力のある者ならばおよそそこがその本の大事なところだと思うようなところである。それは著者が一番に言いたいことと言い換えてもいい。赤をいきなり引こうとすると、緊張してなかなか引きにくいので、青を引きながらおよその要旨やあらすじをつかんでいく。そして、その中から最重要のものを見つけるという順序でやると効率はいい。

緑は、本筋とは関係なくてよいから、自分にとっておもしろいと感じたところに引くようにする。これは、他の人が目を付けないようなところに目を付けたり、自分の感性で独自に反応したりしたところに引くと、緑らしさが出る。この三色ボールペン方式の読書法は、すでに『三色ボールペンで読む日本語』(角川書店)に詳しく書いたので、ここでは主観と客観を分けて読む読み方の効用についてだけ、簡単に述べる。

主観と客観を完全に分けることは難しい場合もあるが、主観と客観をとりあえず分ける練習をすることには意味がある。自分ひとりが感じていることと、誰もが感じていることとでは、意味が違う。勝手な読み方をしていては、本の読解力はつかない。

「自分なりの読み方でいい」という言い方がされることがあるが、私はそのようには考えない。小説はともかくとして、一般の本には、本の主旨というものがおよそある。まったく主旨のないものは特殊な本だ。その主旨を取り違えて読んでいるのに、自分なりに読んだと言っても意味がない。

本を要約できる力は、読解の基本だ。要約力がなければ本を読んではいけないということではない。むしろ、読書を通じて要約力を鍛えることがねらいだ。

三色で引き分けることは、子どもにもすぐにできる。私が小学生対象に行っている塾(斎藤メソッド)では、特別優秀な子でなくとも、ごく当たり前に三色ボールペンをはじめから使いこなす。多少迷うところがあっても、慣れていく。正解不正解にこだわらずに、思ったところにどんどん引いていくように励ます。赤の場合はさすがに的外れという場合もあるが、その場合は「そこは緑がいいね」と言えば済む。いい本ならばどこに線を引いてもある程度の意味があるので、完全に間違いである線の引き方はむしろない。

子どもが線を引いた後のものを見れば、その子どものその文章の理解度が端的にわかる。これはチェックするのに非常に効率のよい方法だ。作者・著者自身もわからないような細かな解釈を論議するよりも、どこが重要な文章かを判断しあう方が生産的だ。どの文もまったく均等な価値を持って散らばっているということは、文章の場合にはない。やはり、重要な文というものはあるものだ。そこに的確に線を引くことができるかどうか、引く練習を積むことによって、要約力は鍛えられる。

青や赤だけ引くことができても、今ひとつおもしろくはない。緑を引いたところに、自分らしい感性を生かせばいい。黒だけで線を引いた場合のものよりも、見たときに本の読みの深さや角度がはっきりとわかる。他人が見てもわかりやすいし、自分でも、この本は緑が多い本だったとか、赤の少ない本だったという評価をすることができる。そうしているうちに、徐々に緑や赤をたくさん引くことができる有意義な本を探すコツが見えてくる。

三色ボールペンで色をスイッチさせていくことが、主観と客観の切り替えや、客観的要約の重要と最重要の切り替えなどを、技として身につけることができる。算盤《そろばん》を続けていればやがては算盤が頭の中に入ってくるように、三色の切り替えを行っていると、頭の中で主観客観の切り替えなどがやりやすくなる。道具を使うことによって、思考の習慣が身につけやすくなるのである。

こうしたトレーニングは、スポーツや芸道では当たり前のことだ。読書も一度思考の技を鍛えるものとして捉え直す必要がある。読書によって思考の習慣をつけるという意味で、三色ボールペン方式は効果がある。こうした方式は、これほどはっきりした形でなくても、読解力のある人たちはすでに似たような仕方で行ってきたことだ。したがって、特別新奇な方法ではない。むしろ基本を押さえるための四股《しこ》や九九《くく》のような型である。

ステップ2の自分で声を出して読むことと、ステップ3の線を引いて読むことを組み合わせることもできる。声を出して読んでいきながら、あるまとまりで区切り、そこまでの範囲で自分が大事だと思ったところに線を引く。これを繰り返しながら進んでいく。子ども用に編纂された本であれば、百〜二百頁程度を一日で読むことも十分できる。家庭で子どもに読書をさせる場合には、声を出すようにさせると、親の耳にも内容が入ってきて、後で話がしやすい。また子どもが線を引いたところを読むのも楽しい。

10　読書のギアチェンジ【ステップ4】

読書というと、一定の読み方を想像しがちだ。しかし、実際には、読書慣れしている人は、読書のスピードを何段階か持っている。ギアをいくつか持っていて、本ごとにギアチェンジできると言ってもいい。

本ごとに緩急をつけて読む。これがステップ4だ。

食事にもファーストフードのように急いで食べるのがちょうどいいものもあれば、フレンチのフルコースや会席料理のようにゆっくり味わうものもある。本にも、本屋で立ち読みでずっと眺めて済むものもあれば、一日数頁ずつしか進めないという本もある。哲学書などは、速く読めばいいというものではない。いわばローギアで、坂道をゆっくりと上るような感じで、しっかりと意味を解釈していくことが必要だ。ゆっくりだからいけないということはない。速読はできるに越したことはないが、速読できなくとも構わないと私は考えている。全頁を素早く読みつづける技術よりも、本の中で大切なところがどこかを判断できる方が大切だ。

一冊の本の中でも、スピードの切り替えを行うことも多い。著者の立場からしても、素早く要点をつかんで読んでくれていいところと、じっくりと自分の経験と照らしながら読んでほしいところがある。時には飛ばし読みをしても構わないと私は思う。自分にとってあまり関係が深くない箇所にエネルギーを費やすよりは、世の中には読まなければいけない本はたくさんある。どこが自分に深く関係するのかを素早く判断しながら、「緩急をつけて読む技」を習得するのが合理的な読書の仕方だ。

はじめのうちは一冊をきちんと読み切る充実感はたしかに大事だ。それほど厚くない本で読み切る感覚を覚えていく。

その段階をひとまず終えたら、ある程度速い速度で読む練習をする。わからない箇所があっても、あまり長くかかずらわないようにする。一度後ろの方まで行けば自ずとわかることもある。

じっくりと線を引きながら読んだり、書き込みをしながら読む本もあっていい。その一方で、斜め読みする本もある。精読か多読かとのどちらかということはない。精読できる力と素早く多読できる力は矛盾しない。それどころか、読書慣れしている人は両方できることが多い。読書に関しては、狭く深くか広く浅くかということもほとんど無意味な選択肢だ。広く読んでいる方がある本を深く読める。恐れずにたくさん読むべきだ。「広く深く」は読書の場合、現実的に可能だ。

11　脳のギアチェンジ

自分の方で意識のギアチェンジをしながら本を読むというだけでなく、本によってそのギアチェンジの仕方を学ぶということがある。自分の脳の状態をしっかりと自覚化するのは、はじめは難しい。しかし、難しい本ややさしい本をいろいろと読んでいくうちに、本によって自分の脳の精度が変わってくるのが自然にわかる。

一定のやさしい本ばかりを読んでいたのでは、このギアチェンジの感覚はよくわからない。難しくて厚い本を読み通したならば、次にやさしい本を読んだときに、驚くほど速く読めることに気がつく。そういうトレーニング効果が難しい本や厚い本にはある。

文字の少ない本が喜ばれる傾向が近年あるが、一度活字の詰まった本をがんばって読んでみると、そういう文字の少ない本はスカスカに見えてきて、読むのがまったく苦にならなくなる。

いろいろなレベルの本を読むことによって、意識のモードを切り替える技が身につくのである。

「緩急をつけて読む」読書のギアチェンジの技(ステップ4)ができるようになると、並行的に数冊の本を読むことができるようになる。一つの本で頭が一杯になってしまうというのではなく、頭の中を本ごとに部屋割りできるということだ。単線の線路ではなく複線の線路にするイメージでもいい。

本を複数並行的にギアチェンジしながら読む練習を続けていると、脳の器が大きくなって、思考に余裕が生まれる。読書ステップの発展は、意識がしなやかに強くなるプロセスでもある。

Ⅲ

自分を広げる

──読書はコミュニケーション力の基礎だ──

1　会話を受けとめ、応答する

読書は何のためにしなければいけないものなのか、読書をするとどんな力がつくのか。すでに述べたように、読書は自分をつくるのに力がある。それとともに強調しておきたいのは、読書をするとコミュニケーション力が格段にアップするということだ。

普通の会話をしていても、読書力のある人とない人とでは、会話の質が変わってくる。学生を相手に会話をしていると、本を読んでいる学生かそうでないかはすぐにわかる。読書をしているかどうかという質問をしなくても、コミュニケーションの質からわかるのだ。

では、読書をしているかしていないかの影響は、コミュニケーションにどのような影響を与えるのであろうか。

はっきりと言えるのは、会話に脈絡があるかどうかという違いだ。中学生や高校生の友だち同士の会話を聞いていると、まったく脈絡のない話を次々にしていることがよくある。それはそれで友だち同士なので楽しい会話になっているのかもしれない。問題は、親しい友人以外と話す場合だ。脈絡のない話し方は通用しない。相手の言ったこととまったく無関係に「ていうか」という始まりで、まったく別の自分だけに関心のある話をしたならば、相手はうんざりしてきて人格さえも疑うようになる。脈絡のない話し方は、社会性がないと受け取られる。

では、脈絡のある話し方は、どのようにしてできるのか。

それは、相手の話の要点をつかみ、その要点を引き受けて自分の角度で切り返すことによってである。通常、人の話には幹と枝葉がある。しっかりと相手の言っていることの幹を押さえて、それをより伸ばすように話をするのが会話の王道だ。この幹をつかまえる力は、読書を通じて要約力を鍛えることによって格段に向上する。

会話は空中を流れていくイメージなので、つかまえどころがない。それに対して、本は文字が固定されているので、振り返って要点を探しやすい。読書で要旨をつかまえることのできない人は、質の高い会話のやりとりは難しい。会話で要点を外さずに捉え、うまく切り返す能力は、いわばどのコースに来るかわからない球を打つようなものだ。本の場合は文字として固定されているので、どのコースに球が来ているのかくらいはわかる。そこで要約力を鍛えることによって、ライブでの会話の要約力が向上する。

会話は、自分の話したことがきちんと相手に受け止められると思うことによって、お互いに盛り上がる。きちんと受け止めたかどうかを示すのが、相手の言っていることを自分の言葉で言い換えるというレスポンス(応答)だ。「なるほど」、「そうですね」、「たしかに」といった相槌《あいづち》だけでも、会話は潤滑油を注がれたように滑らかになる。

この相槌をより高度にしたものが「自分の言葉で言い換える」ということだ。相手の言葉を鸚鵡《おうむ》返しにするだけでも、会話のリズムはよくなる。それをヴァージョンアップさせて、言葉を換えて同じ内容を言い換えることができれば、相手の言っている内容をしっかりと理解しつかまえていることが、相手側にもはっきりと伝わる。「同じ内容を自分の言葉で言い換えてみよ」という課題は、幼い頃から繰り返し練習する価値のあるものだ。この「言い換え力」は、コミュニケーションの中でもっとも基礎的なもののひとつだ。

自分の言葉で言い換えるためには、語彙《ごい》が豊富である必要がある。それは読書によって効率よく鍛えられるものだ。言い換えにはコツがある。抽象的なものは、具体的なものに少し直し、具体的な発言に対しては、少し抽象度の高い言い方で言い換える。

新書系の本の場合は、論旨が具体例とセットになって書かれていることが多い。一般的な言い方の文章の後に、「たとえば」というように例が挙げられる。これを二人の会話で行うということだ。一般的な発言に対しては具体例を、具体例を相手が挙げれば、それを一般化する。こうしたやりとりによって、幹を失わない、しかも起伏のある会話ができる。

会話をしていて相手が喜ぶのは、自分のいった話が無駄に終わらずきちんと相手に届いて、しかも生かされていると感じる場合だ。それが具体的にはっさりするのは、相手の話の中に自分の言ったキーワードが入り込んでいるかどうかである。自分の発言の中でも、重要だと自分が感じていた言葉(キーワード)を相手が使ってくれれば、それだけでも会話に勢いが出てくる。

しかしこの程度のことならば、読書をしなくても何とかできるかもしれない。読書経験が生きてくるのは、五分前、十分前、二十分前に話された相手の言葉を引用して会話に組み込める技においてだ。現在の文脈そのものには出てこない、いわば、すでに地下に潜ってしまった水脈を、もう一度掘り起こすのである。

その言葉を話した当人でさえも、今の時点では意識していない言葉を、もう一度舞台に上げる。すると、相手は自分の過去に話した話と現在の話とが結びつくのを感じ、自分の中に脈絡ができたことを喜ぶ。もっとも気が利いているのは、話している相手がつながっていないものをつなげてあげるということだ。こうしたことができるためには、相手の言葉をしっかりと押さえておく必要がある。この力をつけるためには、「メモを取る習慣」が必要だ。

私はちょっとした会話でも、簡単なメモを取る。図にすることもある。メモを取っておけば、相手の話の脈絡がつかみやすい。会話をクリエイティブにするには、自分の思考と相手の思考とを混ぜ合わせることが必要だ。自分の言いたいことだけ言って終わりという人をしばしば見かける。これは思考のすり合わせができていないケースだ。メモを取る習慣のある人は、自分の脈絡だけで話をしないようになる。

メモをする力も、読書を通じて鍛えられる。離れた段落に脈絡を探す練習が、メモ力を鍛える。「今読んでいることは、たしか前の方でも出てきたな」と思って探してみる。そして該当箇所があれば、そこに線を引いたり○で囲んだりする。こうすることによって、前後関係に、読者である自分が積極的に脈絡をつけることになる。あるいは、読み進めながら「あ、ここは後で大事になりそうなところだな」という感性を働かせながら、チェックをしていく。全部が当たるわけではなくとも、後でそのチェックが生きてくる。

肝心なのは、常に脈絡を考えながら読書をし、会話をするということだ。脈絡のない内容の本も世の中にないことはないが、通常本は脈絡を大事にしている。いわばストライクが常に来るバッティングセンターのようなものだ。一般の会話は、ストライクゾーンに来るとは限らない。相手の話自体に脈絡がないことも多いからだ。まったく脈絡のない話に脈絡をつけるのは、さすがに難しい。本のようにきちんとした主張があるもので脈絡をつける練習をする方が合理的だ。しかも本の場合は、内容は会話に比べて多く含まれているので、そこで練習をしておけば、実際の会話では要点をつかむのは一層容易になる。

本の著者は、それぞれ自分の主張やペースを持っている。そうした複数の著者と付き合うことで、聞く力が練れてくる。本によっては、非常にわがままな著者もいる。それに著者はたいてい個性的だ。様々なタイプの著者に数多く付き合うことで、いわば人間が練れてくる。人の話をきちんと聞き続けることができるだけでも、相当社会性は高いと言える。

2　書き言葉で話す

読書をしているかしていないかが会話に表れるポイントとしては、話し言葉がきちんと文章になっているかどうかということがある。読書をしていない人の話し方は、単語がポツンポツンと投げ出されるだけであったり、文章の始まりと終わりがきっちりと呼応していないという傾向がある。会話はもちろん、常に厳密に文章になっている必要はない。途中で文がねじれても、意味は何とか通じる。しかし、きちんとした文章になる形で話すことができれば、それをアレンジすることはやさしい。しかし、きちんとした文章で話す訓練をしていない人は、急にそうしろと言われてもできない。

「話すように書け」という論が、時折見受けられる。しかし、私は「書き言葉で話せ」という課題の方が意味があると考える。本をたくさん読んできた者が本を読む習慣のない者に向かって、「本を読む必要などない」というのが不毛で卑怯な行為のように、本をたくさん読み自分でも本を書いているような人が「話すように書け」と言っても説得力がない。読書習慣のない人が自分の話を文字にしたならば、いよいよ意味がないチャット(おしゃべり)にしかならない。

話の文脈をしっかりと押さえる力があれば、逆に外すことも意識的にできるようになる。常に話の本質(三色ボールペンで言えば赤)だけを押さえようと話せば、自然に話は単調になる。そこで少しずらした具体的な話(緑)を入れていくと、会話がスパイスのきいたものになる。幹だけでなく、枝葉の話も楽しい。秩序に軽い混乱(カオス)がもたらされると、脳に刺激がある。

ポイントを押さえる力と文脈からわざと外れる力は、矛盾しない。むしろいつでも論理の脈絡に戻ることのできる認識力があるほど、お互いに恐れず話を飛躍することもできる。二人で話しているときに、どちらも論理的な文脈把握力がないとすると、支離滅裂にならざるを得ない。

3　漢語と言葉を絡ませる

読書をしていることは、会話にも表れる。漢語の文脈は、読書量が多いほど使いこなせる。書き言葉と話し言葉は、必ずしも地続きではない。

日本語の書き言葉には、普通の話し言葉にはあまり出てこない表現が数多くある。漢語的表現は、日本語の中の重要なものだが、これは読書を通じて鍛えられるものだ。たとえば、「本質的という」と抽象的・一般的な印象を与えるが、本質的かつ具体的なものというのは存在する」という言い方は、読書をしない人はまずしない。

日本語は基本的に、大和《やまと》言葉と漢語が絡《から》み合わされる形でできている。大和言葉はおしゃべりの中で自然に使いこなすことが多い。これに対して漢語は、堅苦しい感じを与えるせいか、日常の会話では、本に表れているほど頻繁には出てこない。

漢語表現は、誤って用いれば「凄そうだが内容は空疎」という状態に陥る。漢語は自分の感覚とずれたところで使ってしまいがちだからだ。

自分の感覚と自分が言っていることとのズレを常に的確に感じ取るようにすれば、漢語は自分の思考を伝える強力な武器になる。

4　口語体と文語体を絡み合わせる

話し言葉に書き言葉の訓練が活かされるケースとして、文語体の表現をうまく使いこなすということがある。

たとえば「終わりのない旅」と「終わりなき旅」ではニュアンスが違う。終わりなき旅の方が、精神がキリッと直立して締まっている感じがする。それだけに、それを言っている人間の知性教養や旅の内容が空疎であれば、この表現は格好をつけただけになり、むしろ恥ずかしいものになってしまう。

口語体と文語体のどちらがよいかというのは愚問だ。それは音読と黙読のどちらがよいかという問いと同じく、答えは両方使いこなせるのがよいということになる。注意しなければいけないのは、口語体は日常生活で自然に身についてくるが、文語体は意識的な練習を通して身につけられるものだということだ。

両方を使いこなすことができるようになるためには、意識的な訓練、とりわけ文語体の集中的な練習が必要だ。『声に出して読みたい日本語』に文語体のものを多く採り入れたのは、文語体を声に出して言うことで、子どもの文語体に対する馴染《なじ》みが加速すると考えたからだ。

文語体は使い慣れてみれば、気持ちのいいものだ。

5　ピンポンと卓球

私は、話し言葉と書き言葉の関係はピンポンと卓球の関係に似ていると考えている。温泉場には、よく卓球台がある。そこで風呂あがりにやるピンポンは、およそ誰でもできるものだ。「卓球」という言葉でイメージされるのは、もう少しレベルの高いものだ。ポーンポーンというリズムではなくて、カンカンカンカンといった速いテンポで気持ちよくラリーが続く、そんなイメージが卓球だ。

比喩として言えば、話し言葉がピンポンにあたり、書き言葉が卓球にあたる。話すことは何となくできるようにもなる。しかし、文章を読んだり書いたりすることは、練習しないとなかなかできるようにはならない。ピンポンなら誰でもがある程度できるが、卓球となると、基本を教わるかどうかで大きく差が出てくる。話し言葉ならば、小学校高学年になれば、ある程度のレベルに達する。そのままそれほどの変化なく高校生になる例もある。読書をたくさんするということは、卓球部に入るのと事情が似ている。それを経験すると、書き言葉が身につくのである。自分が文章を書くときはもちろん、話すときにも書き言葉が生かされるようになる。

卓球やテニスでは、フォアハンドはある程度の運動神経があれば何となく打てるが、バックハンドとなると、きちんと習わないとしっかりとした球は打てない。話し言葉は、フォアハンドのようなものだ。知力に応じて、各人何となくできるようになる。

しかし、書き言葉はバックハンドのようなもので、意識的な練習(ここで言えば読書など)を経なければ、試合で使える技にはならない。

オングは『声の文化と文字の文化』(藤原書店)の中で、人類の言葉の歴史から見て、話すことと書くことには決定的な違いがあり、「自然な口頭での話しとは対照的に、書くことは、完全に人工的である」と言っている。話すことは障害がない限り、自然に話し方をどんな人間も覚える。これに対して、書くことは技術である。それは単なる技術ではなく、意識を内的に変化させるものだ。話すことが自然な行為だとすれば、書くことは自然さから離れることでもあるとオングは言う。

「書くことは、意識を高める。自然な環境からの離脱〔疎外〕は、われわれにとってよいことでもあり、実際、多くの点で、人間生活を充実させるためには不可欠でさえある。十分に生き、十分に理解するためには、近づくことだけではなく、離れることも必要である。これ〔離れること〕こそ、書くことが、他のどんなものにもまして、意識にあたえるものなのである。」（桜井・林・糟谷訳）

書き言葉を読書を通じて身につけていくことによって、状況に巻き込まれにくい冷静でタフな知性が育てられる。読書の修練を積んだ人には、どこか冷静な知性の香りが漂う。もちろん気質の問題は大きいが、それでもなお冷静に自分の主観とは独立して物事を論じる客観的な構えが読書をするほど身につきやすい。

話すことと書くことを対立して考えるのは、生産的ではない。元来、上手に書くことができる人は、ある程度話にもまとまりがある。書き言葉ができていない人の場合は、話もまた冗長《じょうちょう》になりがちだ。一対一でプライベートで話しているときには、話し言葉の力量差は表れにくい。書き言葉をたとえ修練していなくても、話は滞《とどこお》りなくできる。

しかし、いったんフォーマルな場に出てみると、話すという行為が実は書き言葉によって精度が高められているのだということがわかる。大勢を前にして、二、三分でかいつまんで意味のある話をする技術は、高度なものだ。書き言葉をまったく修練していないと、普通はなかなか「意味の含有率」の高い話はできにくいものだ。

これからの時代は日本でも、このプレゼンテーションの技術がいっそう重要になる。そのときに大勢に向かって堂々とからだを開いて強い息で話す演劇的な感性や身体性も重要だが、それと同時に、論理を踏まえたキレのよい話し方が求められる。この話し方を鍛えるメニューが読書なのである。

自然な環境からいったん離れること。これが、書き言葉が意識に与える効果であるなら、読書は自分を客観的に捉える視点の獲得につながっている。

自分自身や物事を客観的に捉えるという眼は、生まれつきのものではなく、練習して身につけられる技である。コミュニケーションは、近づくことと離れることの両方ができることによって、円滑に行われる。距離を的確に保つには、離れる技も必要だ。書き言葉が修練されていれば、状況から少し身を引き離して考えることができやすい。

この「離れる」という客観的な構えの形成は、読書の重要な効果の一つだ。

6　本を引用する会話

ペダンティックという言葉がある。衒学的《げんがく》という意味で、学問や教養を必要以上にひけらかす態度のことだ。日本語で言えば済むところをフランス語で言ってみたり、誰も読んでいないような本の話をすることで、自分の教養を誇示するような嫌味な態度を批判するときなどにも使われる。現代では、この言葉自体が死語になっている。というのは、知らないことを恥だと思う文化自体がなくなってきてしまったからだ。

知らないことが恥でない以上、どんなに教養をひけらかされても、聞く側にコンプレックスは生じない。それを聞いたからといって勉強するわけでもない。教養があることが尊敬されることであり、本を読んでいないことが恥だとされる前提があったからこそ、意味のない知識のひけらかしを批判する言葉も使われる意味があった。

普段の会話に本の話を組み入れることは少なくなった。大学生に聞いてみても、友だち同士でまじめな本の話をすることは、かつての大学生に比べると減ってきている。

　本の話を友だちとする。

　こんな当たり前のような会話が若い人の間であまり見られなくなってきているのは、危機的な状況だ。私は大学生たちには、「会ったら挨拶代わりに、今読んだばかりの本や読んでいる本の話を必ずするように」と言っている。お互いがお互いを刺激するようになれば、読書欲は高まる。「最近何かおもしろい本読んだ？」という質問を、何気なく天気の話でもするように、必ず大学時代は私はしていた。せめて大学生のうちだけでも、本をめぐる会話が会話の中心になってもいいのではないだろうか。

　こうした本をめぐって話をすることの楽しさを学生自身に知ってもらうために、私は授業時間を使って、ブックリストの交換を必ず行っている。自分が読んでおもしろいと思った本を、コメント付きのリストにし、それを友だちに見せながら話をするというやり方だ。その本は、できるだけ精神の緊張をともなうものがよい。

　三百人ほどが、席を立って次々に相手を代えて本についての話を楽しそうにしている姿は壮観だ。直接の知り合いでなくとも、同年代の者が読んだ本だということで、刺激を受けやすい。

本をめぐる話は、ただ相手の日常生活や趣味の話を聞くだけよりも、情報の中身が濃い。そして、読む気になれば、その本を自分自身が読むことができるのだから、その場の話で終わるわけではない。会話が外に開かれているのだ。

本や講演会などで、それ自体はおもしろいのだがそれで終わりという種類のものがある。次の行動に駆り立てられないものは、中身がよいものでも、刺激としてはもう一つだ。読めば読むほど、話を聞けば聞くほど、一人になったときに本を読みたくなる。そうした読書欲を喚起する本や講演会は、自己を広げてくれるものだ。

7　読書会文化の復権

会話の端々に本が引用されて、会話が促進されるのは、お互いに同じ本を読んであるときだ。共通の読書体験があれば、いろいろな話ができる。これを意識的に行っていたのが、読書会だ。

読書会は、かつて一つの文化であった。大学生になれば、本を読んできて集まり、それについて話をすることは、誰に強制されるともなく続いてきた文化であった。時代によっては、マルクス主義の文献を読む会といった勉強会的な色彩の濃い読書会もあった。それほど本格的なものでなくとも、二人で本を決めておいて別々に読んできて話をするということも、私はよくやっていた。

読書会の記憶としては、たとえば大学一年の時、日本の防衛政策についての本を読んだり、私の希望で九鬼周造の『「いき」の構造』(岩波文庫)をみんなで読んだりした。この読書会は、学問としてやるというよりは、楽しみのための会であった。ただ集まって酒を飲んで話すのも楽しいが、共通のテキストについてまじめに語り合ったあとに飲みに行くというのは、充実した時間の過ごし方であった。

現在の大学生の間では、読書会はすでに死語化しつつある。同じ本を読んできたうえで集まって話をする、という行動様式を一度もしたことがないという学生がほとんどだ。ゼミという授業形態であればやったことがあっても、自分たちで自主的に楽しみとして行うという文化的土壌は、かつてに比べて格段に痩せ細っている。

私はこれまでに、何十回も読書会を主宰してきたが、うまくやれば読書会は非常に盛り上がって楽しいものだ。読書会をうまくやるコツはいくつかある。

一番大事なことは、全員が最後まで読んできているということを前提としないということだ。読書会がうまくいかなくなる最大の原因は、読書会当日までに本を読み終えることができない人が多数出てしまうことだ。そのために出席しない人、出席しても話ができずに疎外感を味わう人などが出てくる。そうして立ち消えになっていく読書会は多い。私が主宰した読書会でも、読んで来られない人が多くいたので、読み終えていない人でも楽しむことができる読書会運営を行った。

まず、三色ボールペンで印をつけて読んできてもらう。そして読んだところまででいいから、各人のおもしろいと思ったところ(緑)を何頁の何行目というように指摘してもらい、線を引いた理由をコメントしてもらう。それを聞いている人たちは、その発言をした人の名前とともに、自分の本のその場所にチェックをする。こうすると、自分がまだ読み進めていないところにも、チェックがされることになる。それぞれが手短に一つずつ言っていく。それを何周か回す。必ずしも順番どおりでなくてもよい。誰かが言った緑に関係するところがあれば、その関連で誰かが発言してもいい。

具体的な箇所を指し示してチェックを入れるということがポイントだ。抽象的・一般的な感想を言い合うだけでは、読んでいない人が関わりにくい。本の後ろにまでチェックが行き渡ると、実際には読んでいないのに、かなり内容に親しんでくる。三十頁までしか読んでいない人は、その範囲で自分がおもしろいと思ったところを指摘すればいい。終わりまで読んである人は、できるだけ後ろの方を多く言ってもらうようにする。

読書会では、話が脱線するのももちろんおもしろいが、そうした議論になってしまうと、よくしゃべる人が時間のほとんどを使ってしまいがちだ。そうではなく、各人が発言する形式の方がおもしろい。もちろん深い読みのできる読書力のある人が、話の展開上重要な役割を果たすのは当然だ。しかし、その人の論を聞くだけでなく、いろいろな人が自分がおもしろいと感じたところを指摘していくことによって、全員の目が開かれてくる。

こうした読書会をやってみて気がつくのは、読んだつもりでも意外に読み飛ばしているところが多いということだ。あまり気にとめなかったところが、人に指摘されると非常におもしろいところであったことに気づくことが、私もよくあった。

何となく議論をする、というのではなく、常に何頁のどこというように、場所を指摘しながら議論を進めた方が、全員にとって生産的だ。選んだ本が充実した内容のものであれば、たとえ読みの浅い人が指摘した箇所であっても、そこの文章に意識を集めることとは無駄にはならない。

私は漱石やシェイクスピア、小林秀雄の短い名文を教科書に編纂した『理想の国語教科書』（文藝春秋）を刊行したが、そこに収めた文章をテキストにして、小学生とよく授業をする。小学生の中には、読みの得意でない子どもも多いが、その子どもたちがおもしろいと思った箇所を聞くと、もともとが大家の書いた文章であるだけに、私の方も目を開かれることが多い。何気なく読み過ごしていたものが、子どもの指摘によって、新たな光が当てられて輝いてくるのである。

重要なことは、おもしろいと感じた文章をそれぞれ指摘することで、各人がテキストへの馴染みを深くするということだ。読書会の最中に、何度も頁をめくって線を引いていくと、だんだん使い慣れた辞書のように、その本が自分のものになってくる。読書会を終える頃には、すっかりその世界に馴染んでいることが多い。そうしておけば読書会のあとに改めて読み直してみるというのも、しやすくなる。

8　マッピング・コミュニケーション

私が読書会をやるときに採り入れているやり方として「マッピング・コミュニケーション」というものがある。私が考えてネーミングしたものなので、一般的にはまだ知られていないが、やってみると効果的だ。もともとは、私が友人と二人で話すときに自然に二人でやっていたやり方だ。

二人の間にB4くらいの大きさの白紙をおく。そこにキーワードを書き込みながら対話をするというやり方だ。読書会の場合は、二人でなくとも四、五人でグループをつくり、そのグループの人間全員がその紙にキーワードを書き込みながら話をする。共通のテキストを読んできているので、書き込みは読書会の場合はしやすい。人が言った言葉を書き留めてあげてもいいし、自分自身で話しながら言葉を書いていってもいい。

慣れないうちは、登場人物の名前を書き込んでいって人物の関係を矢印などで結んで、作品世界をはっきりとイメージ化する。ロシアの小説などでは、長い名前の登場人物が多いので、これをやりながら頭を皆で整理していく。たとえば、一人の女を二人の男が好きになっている三角関係があるとする。それを三角に図化するのである。それを中心にしていろいろな人物が絡み合ってくるのなら、人物名をその周りに配置していく。登場人物の関係を図化するだけでも、小説の場合は相当理解がしやすくなる。

とくに世界文学と言われるものの中には、登場人物が非常に多いものがある。ガルシア＝マルケスの『百年の孤独』(新潮社)には複雑な家系が描写されている。この本で読書会を行ったときには、人物がどういう血縁関係にあるのかを確認することがまずは必要だった。こうしたときもマッピング・コミュニケーションやホワイトボードを使っての認識の共有は効果的だった。

バルザックはたくさんの小説を書いているが、それぞれの作品が完全に独立しているわけではなく、複数の作品に登場する人物がいる。ある作品では脇役であった人物が、ある作品では主役をはるといった具合だ。このスタイルは、「人間喜劇」と言われている。一つの壮大な人間関係の世界が、膨大な作品で繰り広げられている。独立した世界がそこにあらわれてくる。

パリのバルザックの家を訪ねたことがある。バルザックが執筆した机と椅子が置かれた部屋も残っている。経済的に苦しんでいたせいか、それほどめぼしい遺品はなかった。しかし、その中で目を引いたのは、壁一面に張り巡らされた、バルザックの人間喜劇の登場人物の相関図だ。それはバルザック自身がつくったものではなく、後年、バルザックの研究者によってつくられたものであったようだが、信じられないほどの数の人間の名前が、線で結びつけられて壁を埋め尽くしている光景は迫力があった。一人の人間がこれほど多くのキャラクターをつくり、それぞれを関係させ、一つの世界を構成し得たということを、一目で見ることができ、感銘を受けた。

こうした効果がマッピング・コミュニケーションにはある。本を読むのが辛いという人は、本が文章だけで成り立っていて、ビジュアル的に訴えるものがないというのが理由の一つになっている。字だけで書かれたものは、想像力を鍛える。しかし、それだけでは理解がしにくい人も出てきてしまう。そうしたときに、何人かで人物の相関図を書くのは楽しい作業だ。その人物の名前だけでなく、キャラクターも書いていく。できればそこに具体的な頁数を書き込み、文章の中に出てくる表現の中で、その人物を表すキーワードを選んで名前と一緒に書き込んでおくと理解が進む。

文字だけで書かれた世界を図化するということで思い出すのは、作家の井上ひさし氏が、小説家の藤沢周平の作品舞台とされている架空の藩、海坂藩《うなさか》を細部にわたって地図にしたものだ。私はこれを何かの機会に目にすることがあったが、小説の中で文字で描かれている地理を図化するのは楽しい作業だろうと想像した。海坂藩は、藤沢周平の故郷の山形県鶴岡がモデルになっているが、細かなところは当然作家の想像力によって描かれている。その作家の頭の中にイメージしてある藩の様子を、自分が地図にするのは、藤沢ファンならばついやりたくなってしまう作業だ。

マッピング・コミュニケーションの場合は、数人の力を合わせてこれを行うので、いっそう苦労は少ない。本の読み方にはそれぞれ偏りがあるのが普通だ。その読みの偏りは、悪いことでは必ずしもない。数人でその偏った部分をつき合わせていくことで、深い読みに至ることもできる。

マッピングしていくときには、人物で配置する場合もあるが、鍵となる概念(キーコンセプト）でその著者の思想世界をマップにするというやり方も有効だ。

たとえば、ヘッセの『デミアン』（新潮文庫）という作品ならば、マッピングはキーコンセプトにしたがってしやすい。この物語全体が、明と暗の二つの世界を主人公シンクレールが揺れ動きながら、真の自己を求めていくプロセスになっているからだ。たとえば白紙に明と暗という二つの文字を〇で囲んで左右両側に書いておく。そうしておいて、明の世界に属する人物や事件を書き込み、暗の方にもそれぞれ書いていく。明るく正しい父母の世界とは別の世界に住む、デミアンの存在がその明と暗の揺れ動きに大きな影響を与えている様子を図化する。キリスト教の神ではない異教の神アプラクサスも、この図の中では暗の中に入るだろう。しかし、その図化も単純ではない。善と悪のどちらかではなく、善と悪の両面を含み込んだような神。そうした神の性格にシンクレールは引かれていく。それをまた図化するのである。シンクレールが真の自己を求めていくプロセスで、いろいろな人に出会う。その成長の段階を一枚の紙に書き加えていく。これはやってみると、実はそれほど難しい作業ではない。ある程度読んできている人間が何人か集まれば、『デミアン』の世界は何とかマップにすることはできる。

大事なことは、マップをつくるという作業を通して対話を深めるということだ。一人が黙ってつくったものが完成されたマップであったとしても、それでは意味は少ない。自分たちでマップをつくっていく時間そのものがクリエイティブになる。レベルが高くはなくとも、なんとかマッピングをしながら対話をしていくというプロセスが重要だ。慣れないうちは、言葉を書き込みながら話をするということは必ずしも簡単ではないかもしれない。しかし、何度かやっているうちに慣れてくる。全員が均等にマッピングの技術があるわけではないので、人の話を聞き取ってキーワードを書き込むのが上手な人がある程度リードしてマッピングをしていくのが、はじめのうちは現実的だ。

マッピング・コミュニケーションのよさは、対話が宙を舞うものではなく、同じ紙という共通の土俵にのって行われるというところだ。あれこれと話が飛びすぎると、あとで何を一体話していたのかわからなくなってしまう。マッピングをしていけば、話が積み重ねられていく。無駄な繰り返しは少なくなり、全体の話の流れが一目で見渡せるようになる。頭の中に各人がそれまでの会話をすべてメモしておき、それを取り出して話をするというのは高度なことだ。マッピングならば、キーワードはそこに文字として定着して残っている。それを矢印でつないだり、大きくいくつかの言葉を○で囲んでグループにしたりすることで、どんどん頭に入ってくる。

この書き込みをやるときにも、三色の青、赤、緑でやる方がメリハリがきいてくる。赤は最重要で、緑は本筋からは外れていてもおもしろいことがらというようにおよそ決めておけば、あとは自由でいい。厳密な思考よりも、大きな構造を間違えずに把握し、細部は会話で埋めていく。マッピングはきれいにまとめることを優先させるのではなく、大胆に、話が盛り上がるような勢いでどんどん書き込んでいくのがコツだ。

文章で書き込むのは、躍動感がなくなるのでよくない。あるいは、箇条書きにしてまとめてしまうのも、ノート風になりすぎて動きが止まってしまう。もっとあちらこちらに島をつくるように大胆に言葉を書き込んでいくのがいい。最後はあちらこちらが矢印で結ばれて、他の人が見たら何の図かよくわからなくなっているくらいがちょうどいい。このマッピング・コミュニケーションがうまくいくと、バスケットボールなどのチームスポーツで各人が全力を出し切ったときのような爽快感を味わうことができる。

各グループでマッピング・コミュニケーションを行ったあとは、その成果を別のグループに対してそれぞれプレゼンテーション(発表)していく。やり方としては、一つの机の上にマッピングした紙を、聞く側の方の人に向けておく。そして、そのマッピングをしたグループの人間が、コンビネーションを組んでリレー方式でプレゼンテーションをしていく。聞く側は、マッピングの紙を眺めながら聞くようにする。

話し合いのプロセスを簡単に紹介しつつ、話し合いを通じてクリアになったポイントや構造を主に発表する。各グループ三分ほどで発表してもらう。だらだらと時間をかけないのがコツだ。この作業をやるのにはさほど時間はかからないが、各人のその作品を読んで考えられるほぼすべてが吐き出されたことになる。

読書会で不満が残るのは、自分が話したいことを話す時間がないという場合だ。人の話を聞いていて楽しい場合もあるが、やはりお互いに話をしながら理解を深めるのがベストだ。しかし、全体で話を常にしてしまうと、一人あたりの話す時間はどうしても少なくなってしまう。マッピング・コミュニケーションで二~五人程度の人間で話すことにすれば、自分の言いたいことはおよそ言える。マッピング・コミュニケーションをする時間は、二十分くらいが目安だ。

9　みんなで読書クイズをつくる

読書会はみんなで何か一つのものをつくり上げるようにすると盛り上がりやすい。ここで言う読書会は二人でもいい。私がもっともよく経験したのは、二人だけの読書会だ。中学の同級生と、中学校以来三十代に至るまで、二人だけの読書会を続けた。マッピング・コミュニケーションのやり方も、この長い経験の中で自然に生み出されてきたものだ。書物をただ理解するのでももちろん悪くはないが、そこから何か一つ新しいものをつくり上げていく方がスリリングで活性化する。

そうしたみんなで一つのものをつくるゲームとして提案したいのが、読書クイズづくりだ。読書クイズというのは、たとえば、その本に書かれている具体的な言葉が答えになるようなクイズのことだ。主人公が一番好きだった歌は何という歌だったでしょうか、といったものだ。主人公はどのような気持ちで故郷を出たのでしょうか、などといった、答えが抽象的になる問題はつくらないようにする。

ただの情報を聞くだけのクイズに終わることももちろんある。しかし、工夫をすれば、作品の本質に目を向けさせるようなクイズをつくることもできる。そのクイズに出会うことによって、はじめてそうした視点でその本を読み直すということが起こる。そうしたクイズをできるだけつくるように工夫する。

みんなでクイズを考えるのは楽しい。もし小説にそんなクイズが巻末についていたら、注意深く作品を読み直すきっかけになるだろう。ただ作品の理解を深めるというだけでは生まれることのない活気が、このクイズづくりをとおして生まれる。遊びの要素が加わるからだ。しかし、クイズなら何でもいいというわけではない。あまりに単純なものや些末なだけのクイズは評価が低い。作品の本質をつきながらも、しかし具体的であるようなクイズがベストだ。

みんなでアイディアを出し合い練り上げたクイズを、ラインナップにして紙に書き、それをコピーして読書会の終わりには持ち帰るようにする。そうすると、何かをつくり上げた充実感が残る。誰かその作品を読んだ人に、そのクイズシートを渡せば、渡された人も楽しむことができる。センスのいいクイズをつくろうとするうちに、作品の理解も深まるので、一挙両得だ。私が学生たちと一緒にガルシア＝マルケスの『百年の孤独』の読書会をしたときの読書クイズの例を次にあげておく。

読書クイズ

『百年の孤独』問題集

1　次の人物群を繁殖系と非繁殖系に分けよ。
2　堂々巡りを三つあげよ。
3　大佐の孤独を表す幾何学的図はなにか。
4　次の人物群を長生き系と早死系に分けよ。
5　村で流行した病気は何か。

10　本を読んだら人に話す

本を読んでもその内容をすぐに忘れてしまう。そんな経験は、おそらく誰にでもあるのではないか。受験勉強でも、何度も繰り返しやらなければ知識はなかなか定着しない。まして、一回読んだだけの本を隅々まで覚えているということは、そもそもきつい注文だ。すべてではなくとも、自分にとって大事なところ、自分にとっておもしろいと思ったところだけでも、覚えておいて、咄嗟《とっさ》の時に使いこなせればありがたい。

そのために私が効果的だと思うやり方は、本を読んだらとにかく人にすぐその内容を話すということだ。読んだ直後や読んでいる最中ならば、何とか話の内容は覚えている。知識がまだホットなときに、人に話してしまうのだ。時間が経てば経つほど記憶は薄れていく。読んだらすぐに人に話すようにすれば、記憶は定着しやすい。できれば三、四人に同じ話をするようにする。そうすると、ほぼ後で使うことができるような形で記憶することができる。というのは、自分が何度も話した内容は覚えていやすいからだ。

相手がその本を読んだことがある必要はない。その本の内容に関心を持っている必要さえない。自分がその本の主旨を話して、その本の魅力を具体的に語ることができればいいのだ。話のあらすじや主旨を語ることはもちろん大切だが、それに加えて重要なのは、短くてもいいから具体的な言葉を引用しながら話すことだ。ほんの一言でもいいから、著者自身の言葉が話の中に盛り込まれるだけで、格段に話は厚みを増し、しかも生き生きとしてくる。

一文だけでもいい。心に強く印象に残った文章を暗記しておいて、人に話しまくるのだ。はじめは本を見て話してもいい。何度か話しているうちに覚えてしまうだろう。本の話をいきなり一方的にされても受け入れてくれる程度の友だちがいることが、このやり方の場合必要となる。お互いにごく自然に、読んだ本の話をしあって、記憶しやすくしておくような関係は、友人と呼ぶにふさわしい関係だ。

11　好きな文を書き写して作文につなげる

近場に友人がいない場合は、書いて覚えることにする。気に入った文章をノートに書き写すのでももちろんいい。私の場合は、自分の文章の中に引用として、感銘を受けた文章を組み込む形で書き記すことの方が多い。これは作文のコツでもある。まったく何もないところから、自分の内面からのみ言葉を紡《つむ》ぎ出すのは意外に難しい。現実に起こった出来事を言葉にするのもなかなか大変だ。しかし、書かれた文章を引用しながら文章を書くのは、それよりは難しくはない。書き写したいと思うほどの文章であれば、なぜそれに感銘を受けたのかを書き綴ることはできやすい。

私はこのやり方を「三色作文」として方法化した。小学生が文章を書くやり方として、みんなで短い文を読み、そこにそれぞれ三色で線を引く。まず赤で引いたところを原稿用紙に書き写す。そして、「なぜそこが一番大事だと思ったか」という理由を、簡単に文章でコメントとして付ける。次に、緑の箇所を書き写す。そして同じように、「なぜそこを自分はおもしろいと思ったのか」の理由を書き記す。その理由を書き記す際に、自分なりの経験と絡み合わせて書くことができれば、ほぼ立派な文章に仕上がる。

プロの物書きの文章を見てみればわかるが、本には他の本からの引用が多く用いられている。文章を書く際に、他人が経験したことのない現実の出来事を描写しながら自分の考えを述べるのは、一番難しいことだ。他の人も共有できる形ですでに書かれてある文章を引用した上で、コメントを付けるという方が、文章として落ち着きがいい上に書きやすい。創造性が高いのは、出来事を直接記述する方だが、小学生の場合は、その創造性の高い作業の方ばかりを求められがちだ。もっと引用をし、それについてコメントを付けていくという形で、大量の文章を書く練習をしてもよいのではなかろうか。

気の利いたコメントが付けられればそれに越したことはないが、たとえそれほどのコメントでなくても構わない。少なくとも自分がいいと思った文章を書き写したというだけでも意味がある。書き写すことによって、文章は定着しやすくなるからだ。自分が普段あまり使わない漢字や言葉遣《づか》いも、自分の手を通して練習できるという効果もある。

12　読書トレーナー

スポーツにコーチがいるように、読書にコーチがいてもおかしくはない。読書を好きとか嫌いとかいう以前に、どんな本を読んだらいいのかがわからないという人も多いのではなかろうか。うまくその人の関心や能力にあった本が選ばれれば、そこから読書は楽しいと思うようになっていく可能性は高い。もちろん一般的に初歩の段階は、これこれの本がおもしろいだろうというアドバイスもできる。しかし、スポーツなどのコーチングにおいても、一般的な指導ももちろん必要だが、その人の「癖」を理解した上でするワンポイントアドバイスというものが効果を持つ。

読書の場合にも、その人の年齢や関心、読書力の程度などによって、薦める本は本来違ってもいいはずだ。相手の状況を見極めて最良の本を薦める仕事。それが言ってみれば読書トレーナーの仕事だ。読書トレーナーというのは私の造語だが、世の中にこんな仕事があってもよいのではないかと思う。たとえばこんな具合にやりとりがなされる。

本を薦められる側は、今まで読んだ本のラインナップを簡単に言って、自分の読書歴を読書トレーナーに聞いてもらう。自分の本棚を写真にとって一目瞭然にして相手に見せるのも悪くない。本棚を見れば、読書トレーナーはおよそ次の本として何がいいのかをアドバイスすることはできる。読書トレーナーには、その程度の幅の広い読書量は求められる。そもそも本棚を持つまでに至っていない人もいる。その場合には、とにかく短くて読みやすくおもしろいものから始める手もあるし、相手のやる気によっては、むしろ本格的なものから入る方が、読書に対する強いあこがれが湧きやすい場合もある。

私はこの読書トレーナーのような仕事を実際に行っている。学生に基本図書を薦めることももちろんするが、一人ひとりと話しているうちに「じゃあ、この本を読んでごらん」と言って、その人に合った本を紹介することがよくある。私の経験でおもしろかったのは、ほとんどまったく読書をしたことのない二十代の人に、思い切って先に触れた九鬼周造の『「いき」の構造』を薦めて成功したことだ。この本自体はやさしい本ではないが、「いき」という生き方の美学が論理的に書かれていて、そうした生き方を理解できる人間にとっては、ある意味フィットしやすい哲学書だ。「ハリー・ポッター」のシリーズや『アルジャーノンに花束を』(早川書房)のような、やさしくてそこそこ楽しめるものからはじめるのも、もちろんやり方としてはある。しかし、私の場合は、その人の知力に応じてではあるが、できるだけ「凄み」のある作品から入るように努めている。本というものは凄いものなのだという印象をはじめのうちに持ってもらいたいからだ。一般的に難しいものばかりを最初に並べてしまうラインナップをつくれば、さすがに無理がある。相手を見極めて一対一で本を薦める状況にあるからこそ、少々難しいと思われるものでも薦めることができるのである。

こうした「相手とのコミュニケーションの中で本を薦める」ような読書トレーナーの仕事が、社会的にもっと評価されていいのではないだろうか。図書館の司書という仕事もそういう役割をもつものであっていいし、学校の先生は全員そのような役割を果たしてほしいと私は願っている。読書をする習慣のない教師は、教師としては不十分だ。

私は中学高校の教師になる人を育てる仕事をしている。学生には、もし教師になったら、授業の最初の三分ほどは必ず、自分が読んでいる本の話をするようにしろ、と言っている。常に現在進行形で読んでいる本を紹介し続ける。これは教師自身にとっても刺激になるし、今読んでいるという臨場感があるので、相手にも伝わりやすい。

そして何より大事なことは、先生が本を読みつづけているということがリアルに伝わるということだ。私が中学のときの白石先生という先生は、必ず授業のはじまりに本を紹介してくれていた。梅原猛の『隠された十字架』や井上靖の『大平の甍』（ともに新潮文庫）などを毎時間紹介してくれたが、その情景は今でも目に浮かぶ。すぐにではなくても何年か経って読むこともあった。

全国には読書家の方がたくさんいる。幅広い読書をしてきた人ならば、相手と話しながらこれがよいのではないかと思う本を薦めることができるだろう。そうした人がボランティアなどで読書トレーナーになってくれれば、本を読むきっかけが増えるだろう。むろんプロの読書トレーナーが存在しうるものならば、それはそれで素晴らしいことだ。

13　本のプレゼント

読書トレーナーと少し似た仕事をしてもらった経験として、本のプレゼントがある。自分の好きな本を相手にも贈るというのは、かつてはそれほど珍しいことではなかった。自分の思いや考えや価値観、趣味といったものを直接語るよりも、ある本を読んでもらった方が自分のことをわかってもらえると思うことがある。そうしたときには、本を相手にプレゼントしてお互いのコミュニケーションを深くするというのも一つのやり方だ。恋愛のはじめの時期などには、こうした手が効くこともよくある。私が聞いた話では、好きな娘に詩集をプレゼントしてうまくいったという例もある。

私が高校のときに経験したのは、それとは少し違う本のプレゼントだ。小倉勇三先生という国語の先生が、学期の終わりだったか、文庫本をたくさん持ってきて、教卓の上にどさっと並べた。そして、「どれでもいいから一人一冊好きなものを選んで持っていっていいよ」と言ったのだ。みんな教卓に群がって本を選んだ。

本をプレゼントされたときにうまくいかないケースは、もらった本がもう一つ趣味に合わないという場合だ。この「好きな本一冊持っていっていいよ」方式は、自分で本を選ぶことになるので、選ぶ側の意思が反映されているプレゼントのスタイルであった。基本的に選ばれた文庫本だったので、質の高いものばかりであった。高校生たちが自主的にはあまり買いそうもない本もたくさんあった。

私がそのとき選んだのは、世界的数学者の岡潔の『春宵十話』(角川文庫)という本だった。岡潔は関数論において世界的な業績を成した数学者だが、文学、哲学の造詣も非常に深い。天才的な直感力を生かした鋭い批評が特長だ。小林秀雄との対談『人間の建設』(新潮社)という本もある。その本は内容のレベルが高く、私には非常に刺激的だった。その機会なくしては出会うことのない本であった。今でも私の日の前の本棚にはその本がある。その本を見るたびに、高校時代のその本のプレゼントの授業のことを思い出す。これも、私の読書を加速させてくれた一つの大切なきっかけだった。

私自身がこの本のプレゼントの恩恵に感謝していたので、自分が大学生の時に教えていた塾の子どもたち二十人ほどに本をプレゼントした。バッグに自分の読んだ文庫本をたくさん詰めて、高校時代にしてもらったのと同じように、教卓の上に並べた。そして、持っていってもらった。わたしは、古本屋にはあまり本を売らない方だ。自分の読んだ本はいとおしい。部屋が狭くなって困ってはいるが、なかなか手放しにくいタチである。それでもそのときには、自分のところにあるよりも、もしかしたら一冊だけでも先生の本をもらったということで、子どもたちの読書欲をかき立てることができるのではないかと考えた。

先生の読んだ本で、しかも自分がその中から選び取った本は、書店に並んでいる本を選ぶのとは大分意味が違う。その本を本棚で眺めるたびに、読書を大切なものだと教えてくれた人の存在が、メッセージとしてその本から発せられるからだ。一冊の本をプレゼントすることによって、その人の読書欲を持続的に喚起することができるとすれば、効果的なプレゼントだと言える。

私は単なる消費物のように本を扱うことができない。さっと読んだら古本屋に売ってしまうといったことはできない。手放すのならば、その本が生きる形で手放したい。自分が好きで夢中になった本だということをわかってくれる人にもらってもらいたい。「自分で選ぶ本のプレゼント」というやり方は、双方の気持ちが通いやすい、うまい読書指導の仕方だ。

本は必ずしも全部読まなければいけないというものではない。ほんの一行でも一生の宝物になることもある。全部読み切らなければいけないと思うから、読書が進まなくなる。印象に残る一文を見出すという意識で読むのも、読書を進みやすくするコツだ。

本をプレゼントするときにも、相手にその本を全部読んでもらうことを期待するのは過剰な期待というものだ。むしろ、自分が気に入っている一文に線を引いておいて、そこに付箋を貼ってプレゼントする。その一言を読んでもらい、本という形で手元に置いてもらうだけで十分だ、というぐらいの気持ちでプレゼントする方が、相手には負担にならない。

よほど変な本であったり、プレゼントする側の人間のことを嫌いであったりすれば別だが、一文とその前後を読むぐらいのことは、それほど苦もなくできる。その箇所を読んだだけでも、その本は価値が出る。本をフロム・カバー・トゥー・カバー（from cover to cover）という形で全部読み通さなければ納得しないという考えを捨てることによって、本との距離はぐっと近づく。

文庫本に自分が大切だと思うところに線を引き、誰かにプレゼントする。これはかなり精神のレベルの高い交流だ。プレゼントの質の高さを考えれば、文庫本の値段はプレゼント用として決して高くはない。

本をめぐるコミュニケーションの増幅。

本を読むことで会話の質を上げるだけでなく、具体的に本の話をお互いにしあう文化的土壌をつくっていきたい。

この国はかつて読書好きであふれていた。読書文化の伝統はある。大人たちには確信を持って読書文化を復興する責があると思う。「読書力」というコンセプトが、読書文化復興の一助になればうれしい。

文庫百選

「読書力」おすすめブックリスト

文庫を読むことは、読書力をつけるための基本的なステップだ。手がかりとして私自身の経験を踏まえながら、百タイトルを選んでみた。巻数ものもあるが、特には記していない。それぞれの版元は、主として私が読んだ本に従って示した。

「多少とも精神の緊張感を伴う歯ごたえのある読書」を意識はしたが、名著百選ということではない。読みやすさも考慮した。選んだ基準は、読書になじむきっかけになるもの、ひどく難しくはないが歯ごたえがあって読後に充実感が残るものということだ。

もちろん読書力の「文庫百冊」は、各人が選んでいくものだ。参考として見ていただきたい。

1 まずは気楽に本に慣れてみる

ユーモアのある本からはじめて文庫に慣れてみる(①〜⑤)。読んでみると得るものはある。ユーモアはこだわりから生まれることも多い。筋のある短編集は、気楽にどこからでも読めるので文庫入門には最適(④、⑦、⑧)。⑤借金名人。⑥落語は基本、なごむ。

①北杜夫『どくとるマンボウ青春記』新潮文庫
②町田康『くっすん大黒』文春文庫
③椎名誠『哀愁の町に霧が降るのだ』新潮文庫

④『O・ヘンリ短編集』新潮文庫(大久保康雄訳)
⑤内田百閒『百鬼園随筆』新潮文庫
⑥『古典落語』講談社文庫(興津要編)
⑦森鷗外『山椒大夫・高瀬舟』新潮文庫
⑧菊池寛『恩讐の彼方に／忠直卿行状記』岩波文庫

2 この関係性は、ほれぼれする

一人で魅力があるのもいいが、二人組やグループが全体として魅力的なのはもっと楽しい。一人じゃ出ない味が出てくるからだ。友だち、というのは似たもの同士が組むとは限らない。対照的な二人がコンビを組むと思わぬ展開が生まれる。①と②はそんな設定だ。③は映画でも有名。少年時代の夏の日差しがなつかしい。④は似たもの親子の「渾身」の魂の伝承。⑤、⑥は父子のコミュニケーション。⑦は孔子と弟子とのやりとりが美しい絶品。⑧どんな状況でも交信は可能。

①山本周五郎『さぶ』新潮文庫
②スタインベック『ハツカネズミと人間』新潮文庫(大浦暁生訳)
③スティーヴン・キング『スタンド・バイ・ミー』新潮文庫(山田順子訳)
④幸田文『父・こんなこと』新潮文庫
⑤サローヤン『パパ・ユーア クレイジー』新潮文庫(伊丹十三訳)
⑥大江健三郎『新しい人よ眼ざめよ』講談社文庫

⑦下村湖人『論語物語』講談社学術文庫
⑧ドルトン・トランボ『ジョニーは戦場へ行った』角川文庫（信太英男訳）

3 味のある人の話を聴く

本は話を聴く場でもある。人生経験豊富な人の話は面白い。身の回りにはちょっといないすごい人の話を落ち着いて聞けるチャンスを逃す手はない。①、②読みやすくてしかも強烈。③きっぷがいいねえ。④気の巨人です。⑤天下の名著。最高の上達論。⑥「人形」は必読。⑦豪快で楽しい自伝。

①宮本常一『忘れられた日本人』岩波文庫
②宇野千代『生きて行く私』角川文庫
③白洲正子『白洲正子自伝』新潮文庫
④野口晴哉『整体入門』ちくま文庫
⑤エッカーマン『ゲーテとの対話』岩波文庫（山下肇訳）
⑥小林秀雄『考えるヒント』文春文庫
⑦福沢諭吉『福翁自伝』岩波文庫

4 道を極める熱い心

信じた道をひたすらに。その一途な熱い心が胸を打つ。②は染織家。④ゴッホ的版画家。⑥吉田松陰から高杉晋作へ、熱い心の伝承。⑧道元は背筋が伸びます。

①吉川英治『宮本武蔵』講談社文庫

②志村ふくみ『色を奏でる』ちくま文庫
③ロマン・ロラン『ベートーヴェンの生涯』岩波文庫(片山敏彦訳)
④棟方志功『板極道』中公文庫
⑤『ゴッホの手紙』岩波文庫(硲伊之助訳)
⑥司馬遼太郎『世に棲む日日』文春文庫
⑦『宮沢賢治詩集』岩波文庫
⑧栗田勇『道元の読み方』祥伝社黄金文庫

5 ういういしい青春・向上心があるのは美しきことかな――■

①名エッセイ。②表題作の他「漁船の絵」などもいい。③は若くしてなくなったレーサーの留学日記。④海坂藩にははまります。⑤挑戦に意義あり。⑥、⑦筋があって読みやすく内容もある。

①藤原正彦『若き数学者のアメリカ』新潮文庫
②アラン・シリトー『長距離走者の孤独』新潮文庫(丸谷才一・河野一郎訳)
③浮谷東次郎『俺様の宝石さ』ちくま文庫
④藤沢周平『蟬しぐれ』文春文庫
⑤トーマス・マン『魔の山』新潮文庫(高橋義孝訳)
⑥井上靖『天平の甍』新潮文庫
⑦ヘッセ『デミアン』新潮文庫(高橋健二訳)

6　つい声に出して読みたくなる歯ごたえのある名文

どれも文体に張りがある名文だ。①は、私は音読すると止まらない。「名人伝」から読むと読みやすい。②〜④は歯ごたえのある文体。精神の心地よい緊張感が伝わってくる。⑤は何回か音読していると意味と雰囲気がしみ込んでくるから不思議。弟子の唯円が師の親鸞の言葉をもとに編んだので読みやすい。⑥気合い入ります。⑦私は菊子の美しい話し言葉が好きでした。

①中島敦『山月記／李陵』岩波文庫
②幸田露伴『五重塔』岩波文庫
③樋口一葉『にごりえ／たけくらべ』岩波文庫
④泉鏡花『高野聖／眉かくしの霊』岩波文庫
⑤『歎異抄』岩波文庫
⑥ニーチェ『ツァラトゥストラ』中公文庫（手塚富雄訳）
⑦川端康成『山の音』岩波文庫

7　厳しい現実と向き合う強さ

現実は幻想ではない。差別（②）もあるし、戦争（⑦）・原爆（③）もある。公害（④）もあれば、全体主義による抑圧・管理（⑤はSFだが現実的）もある。向き合うことで生まれる強さがある。

①辺見庸『もの食う人びと』角川文庫
②島崎藤村『破戒』岩波文庫

③井伏鱒二『黒い雨』新潮文庫
④石牟礼道子『苦海浄土』講談社文庫
⑤ジョージ・オーウェル『1984年』ハヤカワ文庫(新庄哲夫訳)
⑥梁石日『タクシー狂躁曲』ちくま文庫
⑦大岡昇平『野火』新潮文庫

8 死を前にして信じるものとは

ただ自分のためでなく。自分や大切な人の死と向き合いつつ、より大きな価値へと向かう。

①三浦綾子『塩狩峠』新潮文庫
②深沢七郎『楢山節考』新潮文庫
③柳田邦男『犠牲《サクリファイス》』文春文庫
④遠藤周作『沈黙』新潮文庫
⑤プラトン『ソクラテスの弁明/クリトン』岩波文庫(久保勉訳)

9 不思議な話

どれも読みやすくて印象的な話ばかり。③子どもでも読める。⑤エディプス・コンプレックスのもとの物語。極限的に劇的な人生。

①安部公房『砂の女』新潮文庫
②芥川竜之介『地獄変/邪宗門/好色/藪の中』岩波文庫

③夏目漱石『夢十夜』岩波文庫
④蒲松齢『聊斎志異』岩波文庫(立間祥介編訳)
⑤ソポクレス『オイディプス王・アンティゴネ』新潮文庫(福田恆存訳)

10 学識があるのも楽しいもの

学問は無味乾燥と思ったら大間違い。本物は楽しい。知性や教養があるほど、自由になれる。①明晰な論理はセクシー。②「恥の文化」日本。それにしても現代教養文庫の終焉は教養の危機だ。③日本語は日本の最大の文化遺産。④意外に読みやすい。⑤動物行動学は刺激的。⑥社会学者ジンメルはセンス抜群。⑦近代日本の文学者たちはなぜ不機嫌だったのか。

①和辻哲郎『風土』岩波文庫
②ルース・ベネディクト『菊と刀』現代教養文庫(長谷川松治訳)
③大野晋『日本語の年輪』新潮文庫
④柳田國男『明治大正史 世相篇』講談社学術文庫
⑤コンラート・ローレンツ『ソロモンの指環』ハヤカワ文庫(日高敏隆訳)
⑥『ジンメル・コレクション』ちくま学芸文庫(北川東子編訳、鈴木直訳)
⑦山崎正和『不機嫌の時代』講談社学術文庫

11 強烈な個性に出会って器量を大きくする

とんでもない奴、と思う人間を自分の中にすまわせて、対人関係の器量を大きくしてみる。実際に目の前にしたらうんざりするような強烈な人間も、本の中なら大丈夫。安心してつきあえる。①夫婦どっちもどっち。何度読んでもすごい最高傑作。②安吾は作品以上に人間がいいですね。③一巻だけでも面白い。④ずるさが技になってます。⑤何でも見たい貪欲さ、メフィストフェレスがいい味。⑥ドストエフスキーの最高傑作、とんでもない奴ばかり出てくる。思想は深い。これを読まねば何を読むのか。⑦前代未聞の双子。⑧モンタネッリ『ローマの歴史』(中公文庫)も楽しい。

①シェイクスピア『マクベス』新潮文庫(福田恆存訳)
②坂口安吾『坂口安吾全集4「風と光と二十の私と」ほか』ちくま文庫
③パール・バック『大地』新潮文庫(新居格訳・中野好夫補訳)
④シュテファン・ツワイク『ジョゼフ・フーシェ』岩波文庫(高橋禎二・秋山英夫訳)
⑤ゲーテ『ファウスト』中公文庫(手塚富雄訳)
⑥ドストエフスキー『カラマーゾフの兄弟』新潮文庫(原卓也訳)
⑦アゴタ・クリストフ『悪童日記』ハヤカワ epi 文庫(堀茂樹訳)
⑧塩野七生『チェーザレ・ボルジアあるいは優雅なる冷酷』新潮文庫

12 生き方の美学・スタイル

誰に要求されているわけでもないのに、自分の生き方をある倫理的ともいえるスタイルに律している人がいる。そんな生き方は「スタイルがある」と感じられる。生き方の美学は一種の倫理でもある。①は読みやすい。無理はないのに整ったスタイル。②、③、⑧は一人になることのよさを教えてくれる。④「午後の最後の芝生」という短編には自分のスタイルを大事にする若者が出てきて好きだ。⑤政治家としての倫理とは。⑥具体的かつ本質的。哲学的考察の粋。⑦シベリア抑留という極限状況の中で貫かれる倫理観・美学。⑨凛とした姿勢でヨーロッパ、そして日本を見つめる。⑩暗さの礼賛。

13 はかないものには心が惹きつけられる

①向田邦子『父の詫び状』文春文庫
②リチャード・バック『かもめのジョナサン』新潮文庫(五木寛之訳)
③藤原新也『印度放浪』朝日文庫
④村上春樹『中国行きのスロウ・ボート』中公文庫
⑤マックス・ヴェーバー『職業としての政治』岩波文庫(脇圭平訳)
⑥九鬼周造『「いき」の構造』岩波文庫
⑦石原吉郎『望郷と海』ちくま学芸文庫
⑧サン・テグジュペリ『人間の土地』新潮文庫(堀口大學訳)
⑨須賀敦子『ヴェネツィアの宿』文春文庫
⑩谷崎潤一郎『陰翳礼讃』中公文庫

はかなさは美。幼い記憶、激しい恋愛の終末、若さの衰え。①新鮮な感覚は古びない。②素直に感動しました。読みやすい名作。⑤クンデラは意外に読みやすい。⑥小説の王道。

①中勘助『銀の匙』岩波文庫
②デュマ・フィス『椿姫』新潮文庫(新庄嘉章訳)
③チェーホフ『かもめ・ワーニャ伯父さん』新潮文庫(神西清訳)
④太宰治『斜陽』新潮文庫
⑤ミラン・クンデラ『存在の耐えられない軽さ』集英社文庫(千野栄一訳)
⑥トルストイ『アンナ・カレーニナ』新潮文庫(木村浩訳)

14 こんな私でも泣けました・感涙は人を強くする

①〜③切ない感動。④は満州からの命がけの引き揚げ。著者は藤原正彦の母。⑤は志ある若き医師の最期。⑥からだとことばの先駆者の感動的自伝。⑦学徒出陣、最期まで本を読む。最後に全人類必読の一冊をプラス。『いしぶみ――広島二中一年生全滅の記録』(ポプラ社文庫)。

①高史明『生きることの意味 ある少年のおいたち』ちくま文庫
②宮本輝『泥の河・螢川・道頓堀川』ちくま文庫
③灰谷健次郎『太陽の子』角川文庫
④藤原てい『流れる星は生きている』中公文庫
⑤井村和清『飛鳥へ、そしてまだ見ぬ子へ』祥伝社黄金文庫
⑥竹内敏晴『ことばが劈かれるとき』ちくま文庫
⑦林尹夫『わがいのち月明に燃ゆ』ちくま文庫

齋藤 孝

1960年静岡県生まれ．1985年東京大学法学部卒業．東京大学大学院教育学研究科博士課程を経て
現在—明治大学教授
専門—教育学，身体論，コミュニケーション論
著書—『教育力』『コミュニケーション力』『古典力』『考え方の教室』『新しい学力』(以上，岩波新書)
『声に出して読みたい日本語』シリーズ(草思社)
『三色ボールペンで読む日本語』(角川書店)
『質問力』『段取り力』『コメント力』(ちくま文庫)他多数

読書力　岩波新書(新赤版)801

2002年9月20日　第1刷発行
2025年6月5日　第54刷発行

著者　齋藤《さいとう》 孝《たかし》

発行者　坂本政謙

発行所　株式会社 岩波書店
〒101-8002 東京都千代田区一ツ橋2-5-5
案内 03-5210-4000　営業部 03-5210-4111
https://www.iwanami.co.jp/

新書編集部 03-5210-4054
https://www.iwanami.co.jp/sin/

印刷・理想社　カバー・半七印刷　製本・中永製本

ISBN 978-4-00-430801-0　Printed in Japan

岩波新書新赤版一〇〇〇点に際して

ひとつの時代が終わったと言われて久しい。だが、その先にいかなる時代を展望するのか、私たちはその輪郭すら描きえていない。二〇世紀から持ち越した課題の多くは、未だ解決の緒を見つけることのできないままであり、二一世紀が新たに招きよせた問題も少なくない。グローバル資本主義の浸透、憎悪の連鎖、暴力の応酬――世界は混沌として深い不安の只中にある。

現代社会においては変化が常態となり、速さと新しさに絶対的な価値が与えられた。消費社会の深化と情報技術の革命は、種々の境界を無くし、人々の生活やコミュニケーションの様式を根底から変容させてきた。ライフスタイルは多様化し、一面では個人の生き方をそれぞれが選びとる時代が始まっている。同時に、新たな格差が生まれ、様々な次元での亀裂や分断が深まっている。社会や歴史に対する意識が揺らぎ、普遍的な理念に対する根本的な懐疑や、現実を変えることへの無力感がひそかに根を張りつつある。そして生きることに誰もが困難を覚える時代が到来している。

しかし、日常生活のそれぞれの場で、自由と民主主義を獲得し実践することを通じて、私たち自身がそうした閉塞を乗り超え、希望の時代の幕開けを告げてゆくことは不可能ではあるまい。そのために、いま求められていること――それは、個と個の間で開かれた対話を積み重ねながら、人間らしく生きることの条件について一人ひとりが粘り強く思考することではないか。その営みの糧となるものが、教養に外ならないと私たちは考える。歴史とは何か、よく生きるとはいかなることか、世界そして人間はどこへ向かうべきなのか――こうした根源的な問いとの格闘が、文化と知の厚みを作り出し、個人と社会を支える基盤としての教養となった。まさにそのような教養への道案内こそ、岩波新書が創刊以来、追求してきたことである。

岩波新書は、日中戦争下の一九三八年一一月に赤版として創刊された。創刊の辞は、道義の精神に則らない日本の行動を憂慮し、批判的精神と良心的行動の欠如を戒めつつ、現代人の現代的教養を刊行の目的とする、と謳っている。以後、青版、黄版、新赤版と装いを改めながら、合計二五〇〇点余りを世に問うてきた。そして、いままた新赤版が一〇〇〇点を迎えたのを機に、人間の理性と良心への信頼を再確認し、それに裏打ちされた文化を培っていく決意を込めて、新しい装丁のもとに再出発したいと思う。一冊一冊から吹き出す新風が一人でも多くの読者の許に届くこと、そして希望ある時代への想像力を豊かにかき立てることを切に願う。

（二〇〇六年四月）